365日のベストおかず

5000以上のレシピから
選んだとっておき

macaroni

Prologue

家事や育児、仕事など日々やるべきことが重なって、
献立を考える時間やゆっくりご飯を作る時間がない
という方も多いのではないでしょうか？

忙しいときには「包丁いらず」で作れるレシピ、
冷蔵庫の中身がちょっぴり寂しいときには
「材料ひとつだけ」で作れるレシピ、
ちょっと頑張って素敵な料理でおもてなししたいときは
「おもてなし」レシピを、とさまざまな気持ちや
状況に合わせて選べるレシピを詰め込んでいます。

本書は、ライフスタイルメディア「macaroni」の
料理家と人気インスタグラマーが考えた
5000以上のオリジナルレシピの中から、
とくに人気の高いレシピを選んでまとめた一冊です。
日々、料理と向き合う人たちのノウハウや
アイデアをぎゅっとまとめました。

あなたの「おいしい!」がきっと聞こえるこの一冊。
毎日の料理にぜひお役立てください。

macaroni

macaroniで人気の簡単でおいしいおかずが

365レシピ大集合!

ベストおかず
とは?

5000以上のレシピの中から PV数の多いレシピを さらに厳選!

macaroniでは現在5000以上のレシピ動画を掲載しています。その中から、とくによく見られている人気の高い365＋αのレシピを厳選し、季節に合わせて並べ変えて掲載しています。みなさんがたくさん見て、たくさん作ってくれた評判のおいしいおかずばかり！

人気が高い
レシピだから

冷蔵庫にある
定番の食材で作れる

本書に掲載しているのは、お近くのスーパーで必ず売っていて、ご家庭の冷蔵庫にいつでもある定番の食材を使った簡単でおいしいレシピばかり。作っていて困ってしまう難しい調味料や、手間のかかる調理法はありません。

献立に迷ったら
「#」で選べる!

今日は何を
作ろうかな?

レシピの特徴を「#」で分類！　その日の気分や都合に応じてレシピを探すことができます（詳しくはP14参照）。掲載されている日にかかわらず、毎日の状況に合わせてお好みのおかずを試してみてくださいね。

役立つ
Columnも
盛りだくさん!

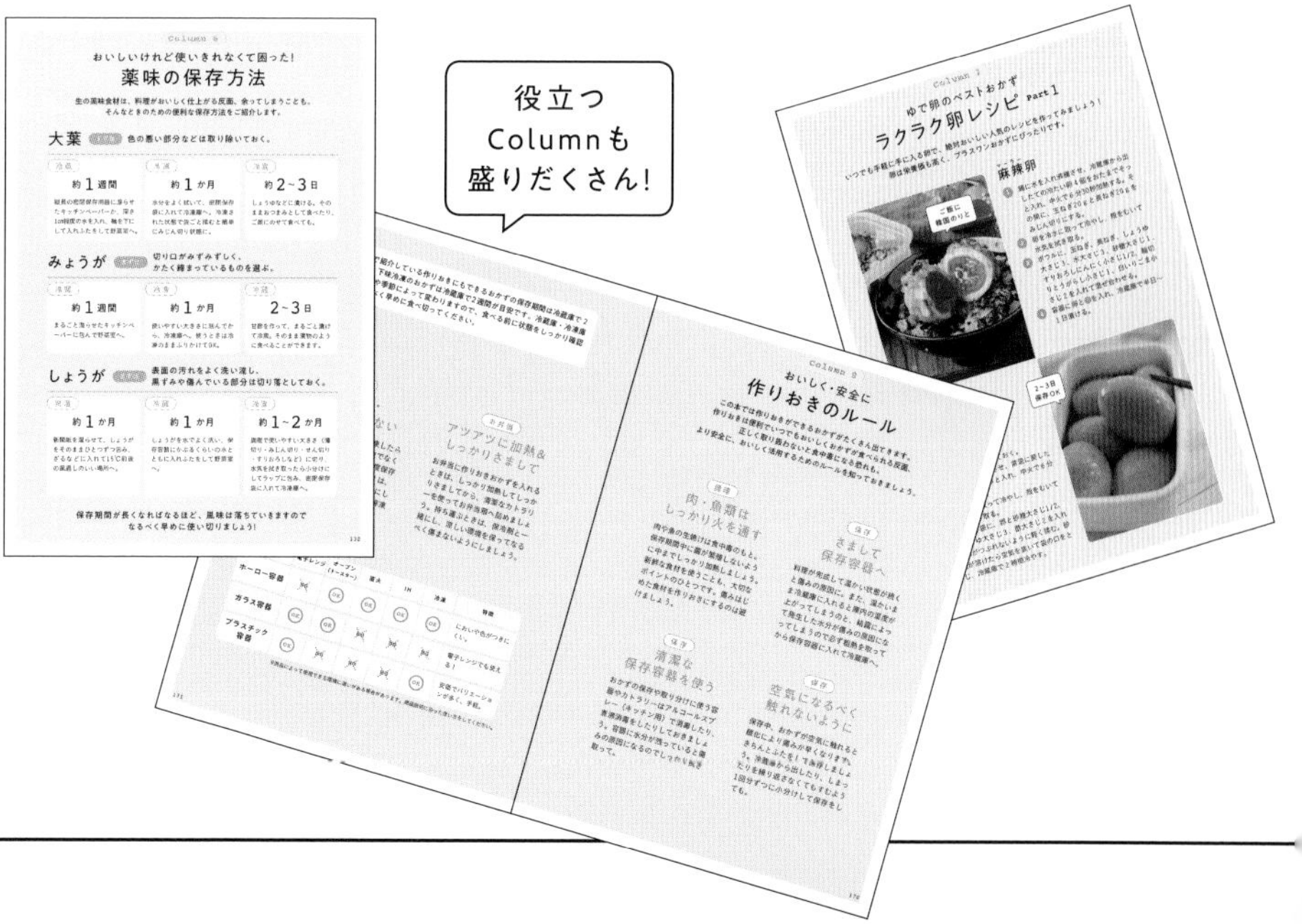

Contents

夏

6月

7月

8月

秋

9月

10月

11月

冬

12月

1月

2月

本書はこれまでのmacaroniの記事すべての中のPV数が高いレシピからレシピを選定しています。そのため、書籍『365日の作りおき 毎日かんたん、毎日おいしい。』と同じレシピも一部掲載されております。あらかじめご了承ください。

便利なレシピの探し方

この本では、365日の日付に沿って毎日のおかずを決めるのはもちろん、
たくさんあるレシピの中から、その日の気分や都合に応じて
作るものを決めることもできます。
ここでは2通りの方法をご紹介するので、ぜひ参考にしてみてください。

#を活用してレシピを探す

レシピ名の左横にある#に注目!

- **調理の仕方**
  (電子レンジ調理、包丁を使わないレシピ、加熱しないレシピなど)
- **おかずに合うシチュエーション**
  (おつまみ、お弁当、作りおきなど)
- **その日の気分や都合**
  (節約、冷蔵庫にあるもので作りたい、手早く作りたい)

など、レシピの特徴を簡単にまとめました。
この#を活用しておかず作りの参考にしてください。

もう一品ほしい!
時間がない! とき

››› #スピード副菜
#加熱なし

#スピード副菜のレシピ

5/16 キムチ春雨
6/11 なす南蛮
8/16 サバ缶ユッケ
など

#加熱なしのレシピ

3/25 ヤンニョムちくわ
5/13 鮭キムチ
1/8 ゆず大根
など

レシピの特徴一覧

- **#作りおき** 作りおきおかずにしても0K
  ★がついているレシピは『365日の作りおき 毎日かんたん、毎日おいしい。』にも掲載されているレシピです。
- **#下味冷凍** 食べるときに加熱するだけ
- **#お弁当** お弁当に入れやすいおかず
- **#基本のレシピ** 知っておきたい定番おかず
- **#おつまみ** お酒にもあうおかず
- **#おやつにも** つまみやすいレシピ
- **#おもてなし** 見た目にも華やかなおかず
- **#材料ひとつだけ** 使う食材がひとつだけ!
- **#加熱なし** 火もレンジも使いません
- **#包丁いらず** 洗い物削減になります
- **#レンチン** 電子レンジ加熱がメイン

料理初心者で……

今日は簡単に作りたい

子どもと作りたい

とき

››› #包丁いらず
#簡単レシピ
#レンチン
#基本のレシピ

#包丁いらずのレシピ

- 4/3 キャベツとツナの無限ナムル
- 6/25 ころころはんぺんボール
- 1/30 ひとくちみそカツ
- 2/11 ピーマンのめんつゆバター煮

など

#簡単レシピ

- 3/4 きのこの炒めもの
- 5/19 なすとピーマンと豚肉の照り焼き
- 8/20 さっぱり鶏塩レモン鍋
- 10/29 ごぼうチーズピザ

など

#レンチン

- 3/14 蒸しキャベツのハムロール
- 7/22 春雨の酢の物
- 9/28 基本のもやしナムル
- 10/21 大根とこんにゃくのしみしみ煮

など

#基本のレシピ

- 4/28 なすの天ぷら
- 7/1 なすみそ炒め
- 10/14 パリパリチキンソテー
- 11/15 基本のビーフシチュー

など

冷蔵庫にあるもので

節約したい

とき

››› #節約レシピ
#材料ひとつだけ

#節約レシピ

- 7/18 なんちゃってえびフライ
- 9/26 ガーリックエリンギ
- 11/8 きのこあんかけ豆腐ステーキ
- 1/16 よだれ厚揚げ

など

#材料ひとつだけ

- 4/4 エリンギの竜田揚げ
- 5/20 結びちくわの唐揚げ
- 7/7 甘辛スティックチキン
- 8/30 やみつき旨だれピーマン

など

#簡単レシピ 手間が少なくすぐ作れます

#スピード副菜 あと一品ほしいときに

#ご飯がすすむ お米にあう味つけ

#ご飯のおとも ご飯にかけたり丼にしたり

#がっつりメニュー パンチのある味つけ

#圧力鍋レシピ 圧力鍋で簡単に作れます

#節約レシピ 安価な食材を使うレシピ

#ほったらかし 漬けておくレシピなど

#ヘルシー ダイエットにおすすめ

#BBQレシピ アウトドアにもおすすめ

#粉もの お好み焼き系のおかず

#和風 **#中華風**

#洋風 **#韓国風**

旬の食材を使ったレシピを探す

旬の食材を使うメリット

① 栄養価が豊富

② 手に入れやすく安価

③ 新鮮でおいしい

1年365日分のレシピがあるから、
そのときの旬のレシピが豊富!
巻末のIndexから食材ごとのレシピを
検索してみましょう。

春

- アスパラガス
- たけのこ
- 玉ねぎ
- 菜の花
- キャベツ
- じゃがいも
- ピーマン
- にんじん
- ホタルイカ
- 鯛

など

夏

- 枝豆
- 大葉
- きゅうり
- 冬瓜
- トマト
- なす
- オクラ
- ゴーヤ
- とうもろこし
- ピーマン

など

秋

- かぼちゃ
- ごぼう
- さつまいも
- 里いも
- なす
- じゃがいも
- れんこん
- きゅうり
- にんじん
- きのこ類

など

冬

- かぼちゃ
- 大根
- にんじん
- 長ねぎ
- 白菜
- ブロッコリー
- ほうれん草
- れんこん
- 春菊
- ぶり

など

この本の見方

Memo
おかずを作るためのコツや、代替できる食材、味つけについてのメモです。

所要時間
おかずを作るのにかかる時間のめやすです。冷やす時間や粗熱を取る時間、漬け込む時間、下ごしらえの時間は含みません。

レシピの特徴
調理の仕方やおかずに合うシチュエーション（おつまみやお弁当など）、和洋中など、特徴を#で分類しています。詳しくはP14をご参照ください。

春
3月のベストおかず
03/04
きのこの炒めもの
#簡単レシピ
#ヘルシー
#ご飯がすすむ
材料（2人分）
エリンギ…1パック（100g）
しめじ…1パック（100g）
まいたけ…1パック（100g）
しいたけ…5個
赤とうがらし（輪切り）…少々
にんにく…1かけ
塩・こしょう…各少々
しょうゆ…小さじ1
オリーブオイル…大さじ2
15min
下ごしらえ
エリンギ》横半分に切ってから5㎜幅に切る
しめじ》ほぐす
まいたけ》ほぐす
しいたけ》四つ割り
にんにく》みじん切り
作り方
①フライパンにオリーブオイル、赤とうがらし、にんにくを入れて火にかけ、香りが立ってきたらきのこを加えて強火で火が通るまで炒め合わせ、塩・こしょうで味をととのえる。
②鍋肌からしょうゆを回し入れ、サッと炒める。器に盛り、お好みで刻んだパセリをちらす。
Memo
■きのこは水分が出やすいので、強火で水分を飛ばしながら炒めてください。
きのこ
フライパン
@macaroni_news 4種のきのこをたっぷり使った簡単レシピ！

日付
おかずの日付です。

アカウント名とコメント
レシピを考案してくれたインスタグラマーのアカウントIDと一言コメントです。@macaroni_newsのものは、macaroni考案のレシピです。

調理器具
フライパン　鍋
レンジ　オーブン　なし

レシピで加熱に使用している調理器具です。メインとなる調理器具のみを入れています。例えば、下ごしらえに電子レンジを使うなどの場合でも、作り方で使用するのがフライパンなら「フライパン」となっています。上記の調理器具を使わないレシピでは「なし」となっています。

おかずの種類
- 肉：肉を使ったおかず
- 魚：魚介を使ったおかず
- 野菜：野菜を使ったおかず
- きのこ：きのこを使ったおかず
- 麺：麺を使ったレシピ
- その他（food）：加工食品や卵を使ったおかずなど

表記のルール

●火加減

とくに記載のないときは中火で加熱しましょう。

●電子レンジ

600Wでの加熱が基準です。ほかのワット数で加熱したいときは、P76の早見表を参考にしてください。機種によって加熱具合に差があるため、食材の様子を見ながらお持ちの電子レンジに合わせて加熱時間を調節しましょう。

●オーブントースター

1000Wでの加熱が基準です。

●計量

大さじは15mℓ、小さじは5mℓです。調味料のひとつまみは親指と人差し指と中指でつまんだ量、少々は小さじ1/4〜1/2が目安です。

●にんにく・しょうが

１かけは10ｇです。チューブを使用するときは、大さじ１（15ｇ）が目安です。

●バター

とくに記載のないときは無塩バターを使用しています。

●めんつゆ

３倍濃縮のものを使用しています。お使いのめんつゆが２倍濃縮なら1.5倍、４倍濃縮なら3/4倍に調整してください。

●材料について

野菜を洗う、皮をむく、ヘタを取るなどの工程やきのこの石づきを取る、根元を切る、軸を除くなどの工程は省略している場合があります。

●水・酢水にさらす

アクを取るために水や酢水にさらしているレシピでは、水や酢水は分量に入っていません。また、さらした後はしっかり水気を切ってから調理に使いましょう。

●下ゆで

下ゆでに使う水や塩は分量に入っていません。たっぷりの湯を沸かし、下ゆでをしてください。下ゆでした後はしっかり水気を切ってから調理に使いましょう。

●作りおき・下味冷凍

レシピの特徴で「＃作りおき」として紹介しているおかずの保存期間は冷蔵2〜3日、「＃下味冷凍」として紹介しているおかずの保存期間は冷凍2週間が目安です。季節や庫内の状況で変わりますので、食べる前に見た目が悪くなっていないか、においに異変はないかなど、安全を確認してから食べてください。作りおきのルールはP170でも紹介しています。ルールを守って安全にお楽しみください。

●表記全体について

macaroni記事に掲載している表記を残しつつ、本の制作にあたり一部変更している部分があります。食材の量や重さについては、レシピごとに表記の方法が異なるものもありますので、よく確認して、料理をしてください。『365日の作りおき　毎日かんたん、毎日おいしい。』にも掲載されているレシピがありますが、レシピ名・材料・作り方の表記については一部異なる部分もあります。

春

3月
4月
5月

03/01

よだれアボカド

#おつまみ　#加熱なし　#中華風

5 min

材料（2人分）

アボカド…1個
長ねぎ…適量
パクチー…適量
ミックスナッツ…適量
A
焼肉のたれ…大さじ3
ポン酢しょうゆ…大さじ2
ごま油…大さじ1
しょうゆ…小さじ1
ラー油…小さじ1
花椒…小さじ1

下ごしらえ

アボカド≫半分に切り、1cm厚さのそぎ切り
長ねぎ≫せん切り
パクチー≫食べやすい大きさに切る
花椒≫ホールの場合は砕く
ミックスナッツ≫砕く

作り方

① Aを混ぜ合わせる。
② 器にアボカドを並べ、Aをかける。
③ 長ねぎ、パクチー、ミックスナッツをのせる。

Memo
■ラー油、花椒の量はお好みで調整してください。

野菜
なし

@macaroni_news 切ったアボカドにピリ辛だれをかけるだけ。お酒がすすむレシピです。

03/02

オイスターチャーシュー

#材料ひとつだけ　#ご飯がすすむ

25 min

材料（4人分）

豚肩ロース肉（とんかつ用）…500g
A
オイスターソース…大さじ3
しょうゆ…大さじ$\frac{1}{2}$
はちみつ…大さじ2
酒…大さじ1
ごま油…大さじ1

下ごしらえ

豚肩ロース肉≫筋切りをし、フォークで数か所穴をあける

作り方

① 密閉保存袋に豚肉を入れ、Aを加えてよく揉み込む。空気を抜いて口をとじ、5分ほど漬ける。
② フライパンにごま油を熱し、保存袋から出した①を並べ入れ、4分ほど焼く。焼き色がついたら裏返し、ふたをして3分ほど蒸し焼きにする。
③ 保存袋に残っている豚肉を漬けたたれを加えて強火にする。汁気が少なくなるまで全体を絡め、食べやすい大きさのそぎ切りにする。

Memo
■筋切りをすることで、焼き縮みを防ぎ、均一に火が通りやすくなります。

肉
フライパン

@macaroni_news とんかつ用の豚肉を使用するので、漬け込み5分で手軽にジューシーに仕上がります。

⏱20min

03/03

簡単アメリカンドッグ

#お弁当　#おやつにも　#粉もの

フライパン　その他

材料（3～4人分）

魚肉ソーセージ…4本
ホットケーキミックス…100g
卵…1個
牛乳…大さじ2
マヨネーズ…大さじ1
揚げ油…適量

作り方

①ボウルにホットケーキミックス、卵、牛乳、マヨネーズを入れ、泡立て器でダマにならないように混ぜ合わせ、コップに流し入れる。

②魚肉ソーセージに竹串を刺し、①のコップに入れて生地をまとわせる。

③揚げ油を160℃に熱し、②を入れ、菜箸で転がしながらきつね色になるまで揚げる。

④油を切り、お好みでケチャップ、マスタードをかける。

Memo

■生地が余った場合は小さいソーセージにつけて揚げると、ミニアメリカンドッグになります。

03/04

きのこの炒めもの

#簡単レシピ　#ヘルシー　#ご飯がすすむ

きのこ
フライパン

材料（2人分）

エリンギ…1パック（100g）
しめじ…1パック（100g）
まいたけ…1パック（100g）
しいたけ…5個
赤とうがらし（輪切り）…少々
にんにく…1かけ
塩・こしょう…各少々
しょうゆ…小さじ1
オリーブオイル…大さじ2

下ごしらえ

エリンギ≫横半分に切ってから5㎜幅に切る
しめじ≫ほぐす
まいたけ≫ほぐす
しいたけ≫四つ割り
にんにく≫みじん切り

作り方

① フライパンにオリーブオイル、赤とうがらし、にんにくを入れて火にかけ、香りが立ってきたらきのこを加えて強火で火が通るまで炒め合わせ、塩・こしょうで味をととのえる。
② 鍋肌からしょうゆを回し入れ、サッと炒める。器に盛り、お好みで刻んだパセリをちらす。

Memo
■きのこは水分が出やすいので、強火で水分を飛ばしながら炒めてください。

@macaroni_news　4種のきのこをたっぷり使った簡単レシピ！

03/05

アスパラガスのベーコン巻き

#お弁当　#おつまみ　#スピード副菜

野菜
フライパン

材料（2人分）

アスパラガス…8本
ハーフベーコン（薄切り）…8枚
塩・こしょう…各少々
サラダ油…大さじ½
しょうゆ…小さじ2

下ごしらえ

アスパラガス≫根元を切り落とし、下の5㎝は皮をむき、3等分に切る

作り方

① ベーコンを広げ、手前にアスパラガス1本分をのせてくるくると巻き、つまようじでとめる。残りも同様に巻き、全体に塩・こしょうをふる。
② フライパンにサラダ油を熱し、①を並べ入れ2分焼く。焼き色がついたら裏返し、ふたをして弱火で3分蒸し焼きにする。
③ アスパラガスに火が通ったら、しょうゆを回し入れ、サッと炒める。お好みでレモンを添える。

Memo
■ベーコンの代わりにスライスハムでも。その場合、半分に切ってからアスパラに巻くと作りやすいです。
■お好みでスライスチーズを挟んでも。

@macaroni_news　材料2つだけですぐに作れて、定番のおいしさ！

03/06

厚揚げの甘辛にんにくごま照り焼き

#材料ひとつだけ　#おつまみ　#ご飯がすすむ

その他　フライパン

材料（2人分）

厚揚げ…300g
片栗粉…適量
にんにく(すりおろし)…小さじ½
A みりん…大さじ1と½
しょうゆ…小さじ4
砂糖…小さじ1
ごま油…大さじ1
白いりごま…大さじ1

15min

下ごしらえ

厚揚げ≫軽く油を拭き取り、一口大に切る
A≫混ぜ合わせる

作り方

①厚揚げは全体に片栗粉をまぶす。
②フライパンにごま油を熱し、①を入れて表面がカリッとするまで焼く。
③②にAを加えて全体に絡め、白ごまを入れて混ぜる。お好みで青ねぎをちらす。

Memo

■表面を焼いているときはあまり触らず、じっくりと焼いてください。
■片栗粉をまぶしてから焼くことで、調味料が絡みやすくなります。

@macaroni_news　にんにくのきいた甘辛いたれが、ご飯にもおつまみにもぴったり。

03/07

お豆腐茶碗蒸し

#レンチン　#ヘルシー　#和風

その他　レンジ

材料（1人分）

絹豆腐…150g
卵…1個
しょうが(すりおろし)…小さじ½
水…50㎖
めんつゆ(3倍濃縮)…大さじ1
大葉…3枚
みょうが…1個

15min

下ごしらえ

大葉≫せん切り
みょうが≫せん切り

作り方

①耐熱の器に豆腐を入れてつぶす。
②卵、しょうが、水、めんつゆを加え混ぜ合わせる。
③ふんわりとラップをかけて電子レンジ200Wで10分加熱する。仕上げに大葉とみょうがを飾る。

Memo

■電子レンジは200Wでじっくりと加熱することで、スが入らずなめらかに仕上がります。

@macaroni_news　材料を混ぜてレンチンするだけ＆ヘルシーだから小腹がすいたときに。

03/08

甘辛しょうゆのじゃがいももち

#お弁当　#おやつにも

30min

フライパン　野菜

材料（3人分）

じゃがいも…大3個（400g）
塩・こしょう…各少々
白玉粉…55g
水…85ml
A ─ しょうゆ…大さじ3
　─ みりん…大さじ3
　─ 砂糖…大さじ1
焼きのり…適量
揚げ油…適量

下ごしらえ

じゃがいも≫一口大に切る

作り方

① ボウルにじゃがいもを入れてふんわりとラップをかけて電子レンジ600Wで6分加熱する。なめらかになるまでつぶし、塩・こしょうを加える。

② 別のボウルに白玉粉と水を少しずつ加えすり混ぜる。粉っぽさがなくなりさらさらになったら①に加えてよく混ぜ合わせ、直径5cmほどの丸型に成形する。

③ フライパンに2cm深さの揚げ油を170℃に熱し、②が膨らんでこんがり両面きつね色になるまで揚げ焼きにする。

④ フライパンをきれいにし、Aを入れて煮詰めたら③を入れて全体に絡める。仕上げに焼きのりを貼りつける。

Memo

■ 白玉粉はダマにならないように、しっかり混ぜ合わせてからじゃがいもと合わせてください。

@macaroni_news　お店でよく売っているじゃがいももちをおうちでも。

⏱25min

03/09

たけのこの木の芽あえ

#基本のレシピ　#和風

野菜　鍋

材料（4人分）

たけのこ水煮…180g
だし汁…200㎖
塩…少々
木の芽…20枚（2g）
白みそ…大さじ3
砂糖…小さじ1
みりん…小さじ1

下ごしらえ

たけのこ≫1cm角に切る

作り方

① 鍋にたけのこ、だし汁、塩を入れ、だし汁がなくなるまで煮詰め、鍋のままさます。
② すり鉢に木の芽を19枚入れてする（飾り用に1枚残しておく）。
③ ②に白みそ、砂糖、みりんを加えて混ぜ合わせる。
④ ③に①のたけのこを加えて混ぜ合わせ、飾り用の木の芽を添える。

Memo
■木の芽は小さいものを使う場合、茎を除かずそのまま使えます。
■木の芽をするときに時間をかけると変色してしまうので手早く仕上げてください。

@macaroni_news　少し手間はかかりますが、春を彩る一品をぜひ。

⏱10min

03/10

キャベツと鶏ささみのピリ辛だれ

#レンチン　#作りおき　#ヘルシー

肉　レンジ

材料（2～3人分）

鶏ささみ…3本
キャベツ…1/4玉
酒…大さじ2
塩・こしょう…各少々
A
にんにく（すりおろし）…小さじ1
酢…大さじ2
しょうゆ…大さじ2
砂糖…大さじ1
白いりごま…大さじ1
ラー油…大さじ1/2

下ごしらえ

鶏ささみ≫筋を取り、酒、塩・こしょうをまぶす
キャベツ≫一口大に切る
A≫混ぜ合わせる

作り方

① 耐熱容器にキャベツ、ささみの順に入れ、ふんわりとラップをかけて電子レンジ600Wで6分加熱する。
② 粗熱を取り、余分な水分を拭き取ったらささみをほぐす。
③ Aを回しかけ、全体がなじむまでよく混ぜる。

Memo
■キャベツは春キャベツだとよりおいしいです。
■ささみをむね肉に替えても作れます。

@macaroni_news　レンチンで作れて、ちょっとしたおかずにもぴったりです。

03/11

えびとキャベツの卵炒め

#中華風　#ご飯がすすむ

15min

フライパン　魚

材料（2〜3人分）

キャベツ…250g
むきえび…150g
酒…小さじ2
片栗粉…小さじ1
卵…2個
塩・こしょう…各少々
にんにく（すりおろし）…小さじ1/2
A オイスターソース…小さじ1
A 砂糖…小さじ1/4
A 鶏ガラスープの素…小さじ1/2
サラダ油…大さじ2

下ごしらえ

キャベツ≫ざく切り
卵≫溶きほぐし、塩・こしょうを加えて混ぜ合わせる

作り方

① ボウルにむきえび、酒、片栗粉を入れて揉み込む。
② フライパンにサラダ油大さじ1を強火で熱し、卵液を流し入れる。大きくかき混ぜ、半熟になったら一度取り出す。
③ フライパンをきれいにしてサラダ油大さじ1を熱し、にんにくを入れて香りが立ったらキャベツを入れて炒める。少ししんなりしてきたらむきえびを加えて炒め、②を戻し入れる。Aを加え、全体に炒め合わせる。お好みで粗びき黒こしょうをふる。

Memo

■炒めすぎるとえびが硬くなり、キャベツの食感が悪くなってしまうので、サッと炒め合わせてください。

@macaroni_news　えびのプリプリ感とキャベツのシャキッとした食感がおいしい。

03/12

和風ピーマンの肉詰め焼き

#お弁当　#作りおき　#和風

20min

材料（2人分）

豚ひき肉…200g
玉ねぎ…1/4個
ピーマン…4個
薄力粉…適量
A パン粉…大さじ2
　牛乳…大さじ1
　塩・こしょう…各少々
サラダ油…大さじ1
B しょうゆ…大さじ1
　みりん…大さじ1
　砂糖…大さじ1/2

下ごしらえ

玉ねぎ≫みじん切り
ピーマン≫縦半分に切り、内側に薄力粉をまぶす

作り方

① ボウルにひき肉、玉ねぎ、Aを入れて粘りが出るまでこねる。
② ①を8等分してピーマンに詰める。
③ フライパンにサラダ油を熱し、②の肉の面を下にして並べ入れ焼く。焼き色がついたら裏返し、ふたをして弱火で5分ほど蒸し焼きにする。
④ ③にBを加えて煮絡める。

Memo
■肉だねがはがれないように、ピーマンの内側に薄力粉をまぶすのがポイントです。

肉　フライパン

@macaroni_news 甘辛い照り焼きだれをたっぷり絡めて、どうぞ！

03/13

豚ロースのみそ漬け

#材料ひとつだけ　#お弁当　#ご飯がすすむ

20min

材料（2人分）

豚ロース肉（とんかつ用）…2枚
A みそ…大さじ2
　砂糖…小さじ2
　酒…小さじ2
　みりん…小さじ2
　しょうゆ…小さじ1/2
サラダ油…小さじ1

下ごしらえ

豚ロース肉≫筋切りをする
A≫混ぜ合わせる

作り方

① バットなどにAと豚肉を交互にのせる。ラップを密着させ、冷蔵庫で1時間漬ける。
② フライパンにサラダ油を熱し、軽くAを拭った豚肉を焼く。焼き色がついたら裏返し、弱火で5分ほど焼く。

Memo
■焼くときは焦げやすいので火加減に気をつけてください。
■ひと晩漬け込むと味が染み込んでさらにおいしく仕上がります。

肉　フライパン

@macaroni_news 柔らかジューシーで、ボリューム満点。ご飯のおかずに。

10min

03/14

蒸しキャベツのハムロール

#作りおき　#レンチン　#包丁いらず

野菜　レンジ

材料（2人分）

キャベツ…5枚
ハム（薄切り）…10枚
ポン酢しょうゆ…70mℓ
オリーブオイル…大さじ1
A 砂糖…小さじ1
にんにく（すりおろし）…小さじ½

下ごしらえ

A≫混ぜ合わせる

作り方

① 耐熱ボウルにキャベツを入れ、ふんわりとラップをかけてレンジ600Wで3分加熱する。
② ①を広げて縦半分に切る。ハムをのせ、手前からくるくると巻き、Aをかける。お好みで赤とうがらしをのせる。

Memo
■キャベツの大きさによって火の通りが異なるため、加熱後も葉が硬いと感じた場合は10秒ずつ加熱時間を増やしてください。

@macaroni_news　キャベツとハムだけ＆レンチンで作れる簡単ロールキャベツです。

10min

03/15

ホタルイカの沖漬け風

#おつまみ　#材料ひとつだけ　#ほったらかし

魚　なし

材料（3〜4人分）

ゆでホタルイカ…200g
しょうゆ…100mℓ
A 酒…100mℓ
みりん…50mℓ

下ごしらえ

ホタルイカ≫目、口、軟骨を取り除く

作り方

① 鍋にAを入れてひと煮立ちさせ、さます。
② 保存容器にホタルイカと①を入れて冷蔵庫でひと晩以上漬け込む。

Memo
■ホタルイカの目、口、軟骨を取り除くことで口当たりがよくなります。

@macaroni_news　ボイルのホタルイカなので、おうちでも簡単に作れる定番小鉢です。

03/16

ふっくらジューシー照り焼きチキン

#下味冷凍　#作りおき　#お弁当

15min

フライパン　肉

材料（4食分）

鶏もも肉…4枚（1000g）
A
砂糖…大さじ3
酒…大さじ4
みりん…大さじ4
しょうゆ…大さじ4
サラダ油　大さじ1

下ごしらえ

鶏もも肉≫フォークで両面を数か所刺す

作り方

① 密閉保存袋に鶏肉とAを入れてよく揉む。鶏肉が重ならないように空気を抜きながら平らにならし、冷凍庫で保存する。

Memo

■ 冷凍の状態で2週間保存が可能です。
■ 食べるときは、冷蔵庫で半解凍にし、フライパンにサラダ油を熱し、鶏肉を皮目を下にして入れます。ふたをして5分蒸し焼きにして裏返し、再びふたをして3分焼いてください。フライパンに残ったたれを煮詰めると、一層おいしそうな照りが出ます。

@macaroni_news　冷凍することで、中までしっかり味が染み込みます。

03/17

ウインナーとチーズの棒餃子

#おつまみ　#お弁当　#おやつにも

15min

材料（3人分）

餃子の皮…9枚
ウインナー…9本
レタス…1枚
スライスチーズ…3枚
サラダ油…大さじ1

下ごしらえ

レタス≫9等分に切る
スライスチーズ≫3等分に切る

肉　フライパン

作り方

① 餃子の皮の上に、レタス、チーズ、ウインナーの順にのせて、手前からくるくると巻き、巻き終わりに水をつけ、くっつける。
② フライパンにサラダ油を熱し、①の巻き終わりを下にして焼く。焼き色がついたら裏返し、転がしながら全体がきつね色になるまで焼く。お好みでケチャップやマスタードを添える。

Memo
■レタスの代わりに大葉やのりを使ってもおいしいです。
■餃子の皮をパリパリにするために全面しっかり焼くのがポイントです。

@macaroni_news　くるくる巻くだけ！　肉だねをこねずに作れる包まない餃子です。

03/18

ねぎみそ香るブルーミング厚揚げ

#おつまみ　#ご飯がすすむ

20min

材料（2人分）

厚揚げ…2枚
長ねぎ…1本
A　みそ…大さじ2
　砂糖…小さじ2
　酒…小さじ2
　みりん…小さじ2
　しょうゆ…小さじ1
ピザ用チーズ…50g

下ごしらえ

長ねぎ≫みじん切り

その他　トースター

作り方

① 厚揚げの上下に割り箸をぴったりとくっつけて、割り箸と垂直に4等分になるように切り込みを入れる。厚揚げを90度回して同様に切り込みを入れる（下まで完全に切らないように気をつける）。
② ボウルに長ねぎとAを入れて混ぜ合わせ、ふんわりとラップをかけて電子レンジ600Wで30秒加熱する。
③ 厚揚げの切り込みに②を塗り、ピザ用チーズを隙間なく詰める。
④ 厚揚げを天板に並べて、トースターで10分焼く。お好みで青ねぎをちらす。

Memo
■焦げそうな場合は途中でアルミホイルをかぶせましょう。

@macaroni_news　チーズたっぷりで見た目は華やか、コスパはばつぐんです！

03/19

ひき肉となすの炒めもの

#がっつりメニュー　#ご飯がすすむ　#おつまみ

肉
フライパン

材料（2人分）

合いびき肉…150g
なす…3本
にんにく…1かけ
しょうが…1かけ
A しょうゆ…大さじ1
A みそ…大さじ1
A 酒…大さじ1
A 砂糖…小さじ2
水溶き片栗粉…大さじ1
（片栗粉…大さじ½
水…大さじ1）
サラダ油…大さじ3

下ごしらえ

なす≫乱切りにして水にさらす
にんにく≫みじん切り
しょうが≫みじん切り
A≫混ぜ合わせる

作り方

① フライパンにサラダ油を熱し、水気を拭き取ったなすを皮目を下にして入れる。2~3分揚げ焼きにし、取り出す。
② フライパンをきれいにして弱火にかけ、にんにく、しょうがを入れ香りが立ってきたら合いびき肉を加え、中火で色が変わるまで炒める。
③ Aを加えて混ぜ、なすを戻し入れる。水溶き片栗粉を加えて全体を炒め合わせる。お好みで白髪ねぎをのせる。

@macaroni_news　なすを先に揚げ焼きするのが、色よく仕上げるポイント。

03/20

キャベツと卵のごまマヨサラダ

#レンチン　#簡単レシピ　#スピード副菜

野菜
レンジ

材料（2人分）

キャベツ…¼個（280g）
ゆで卵…1個
A マヨネーズ…大さじ1と½
A 白すりごま…大さじ1と½
A しょうゆ…大さじ½
A 削り節…2g

下ごしらえ

キャベツ≫手で食べやすい大きさにちぎる

作り方

① 耐熱ボウルにキャベツを入れ、ふんわりとラップをかけて電子レンジ600Wで2分~2分30秒加熱し、水気を拭き取る。
② キャベツを端に寄せ、あいたところにAを入れて合わせた後、全体を混ぜ合わせる。
③ ゆで卵をほぐして入れ、ざっくりと混ぜる。

Memo

■調味料と削り節を先に合わせておくことで、キャベツ全体に味がなじみやすくなります。
■春キャベツで作るとよりおいしいです。

@macaroni_news　キャベツの甘みがたっぷり感じられる一品。

20min

03/21

きのこあんかけ豆腐ハンバーグ

#作りおき　#ヘルシー　#和風

フライパン　きのこ

材料（2人分）

木綿豆腐…½丁（200g）
鶏ひき肉…150g
玉ねぎ…½個
——A——
卵…1個
片栗粉…大さじ1
しょうゆ…小さじ½
塩…小さじ½
こしょう…少々
サラダ油…大さじ1
〈あん〉
しいたけ…2枚
しめじ…½パック
だし汁…200㎖
（和風だしの素…小さじ½
水…200㎖）
——B——
みりん…大さじ2
しょうゆ・酒…各大さじ1
しょうが（すりおろし）…小さじ2
塩…小さじ⅓
水溶き片栗粉
（片栗粉…大さじ1
水…大さじ2）

下ごしらえ

木綿豆腐≫大きめに手でちぎってキッチンペーパーで包み、電子レンジ600Wで2分加熱し、水切りする
玉ねぎ≫みじん切り
しいたけ≫薄切り
しめじ≫小房に分ける

作り方

① 耐熱ボウルに玉ねぎを入れ、ラップをかけて電子レンジ600Wで1分加熱し、粗熱を取る。
② ボウルに豆腐を入れ、つぶしながら混ぜる。ひき肉、玉ねぎ、Aを加えて、粘りが出るまでよくこねる。2等分にして小判形に成形し、中心をくぼませる。
③ フライパンにサラダ油を熱し②を並べ入れ、強火で両面を焼く。両面に焼き色がついたらふたをし、弱中火で5分ほど蒸し焼きにして器に盛る。
④ フライパンをきれいにして、B、しいたけ、しめじ、だし汁を入れて煮立たせる。火を弱めて水溶き片栗粉を加えて混ぜ、とろみをつける。
⑤ ③にたっぷりと④をかけて、お好みで青ねぎをちらす。

@macaroni_news　肉だねに豆腐を入れて、さめてもふんわり。玉ねぎは必ず粗熱を取って。

03/22

たけのこきんぴら

#作りおき★　#お弁当　#ご飯がすすむ

野菜

フライパン

15 min

材料（2～3人分）

たけのこ水煮…120g
にんじん…1/2本（100g）
A 砂糖…大さじ1
A みりん…大さじ1/2
A しょうゆ…小さじ2
ごま油…小さじ2
白いりごま…大さじ1

下ごしらえ

たけのこ≫サッと熱湯をかけたら、真ん中の部分をスプーンでこそげ取り、長さを半分にしてせん切り
にんじん≫せん切り

作り方

① フライパンにごま油を熱し、たけのこ、にんじんを炒める。
② しんなりしてきたらAを加えて煮詰め、白いりごまを加えてサッと炒め合わせる。

Memo
■たけのこはせん切りタイプのものを使うと、さらに簡単にできます

@macaroni_news　春に作りたい、サッと炒めるだけの手軽なきんぴらです。

03/23

にんにく香るシャキシャキザーサイレタス

#加熱なし　#スピード副菜　#おつまみ

野菜

なし

5 min

材料（4人分）

レタス…小1玉
長ねぎ…1/2本
ザーサイ…30g
A にんにく（すりおろし）…1かけ分
A しょうゆ…大さじ2
A ごま油…大さじ2
A 酢…大さじ1/2

下ごしらえ

長ねぎ≫白髪ねぎにする
ザーサイ≫細切り

作り方

① レタスは芯を手で押しながら回し、取り除く。水を張ったボウルにちぎり入れ、シャキッとしたら水気を切る。
② ①に白髪ねぎとザーサイ、Aを加えて混ぜ合わせる。お好みで白いりごまをかける。

Memo
■レタスは手でちぎったほうが、包丁で切るよりも切断面の面積が大きくなり、調味料が絡みやすくなります。

@macaroni_news　すべての材料を混ぜるだけで簡単に作れて、食感も楽しい。

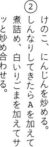

03/24

レンジで簡単ミートボール

#お弁当　#作りおき★　#ご飯がすすむ

肉
レンジ

材料（18個分）

豚ひき肉…200g
パン粉…大さじ2
牛乳…大さじ2
塩・こしょう…各少々
A
水…70㎖
トマトケチャップ…大さじ2
ウスターソース…大さじ1
水溶き片栗粉…大さじ1
（片栗粉…大さじ1
水…大さじ1）
砂糖…小さじ2

15min

下ごしらえ

パン粉≫牛乳に浸す
A≫混ぜ合わせる

作り方

① ボウルにひき肉、牛乳に浸したパン粉、塩・こしょうを入れて粘りが出るまでよくこね、18等分にして丸める。
② 耐熱容器にAと①を入れ、ふんわりとラップをかけて電子レンジ600Wで2分加熱する。
③ 一旦取り出し、肉だねを裏返してラップをかけ、さらに2分加熱する。
④ 取り出してよく混ぜ合わせる。

Memo
■加熱する際は肉だね同士がくっつかないように耐熱容器に並べ入れてください。

@macaroni_news　ミートボールとソースを同時にレンジ調理！

03/25

ヤンニョムちくわ

#加熱なし　#おつまみ

その他
なし

材料（2人分）

ちくわ…4本
プロセスチーズ…40g
A
コチュジャン…大さじ1
砂糖…小さじ1
酢…小さじ1
しょうゆ…小さじ1
ごま油…小さじ1
白いりごま…小さじ1

5 min

下ごしらえ

プロセスチーズ≫ちくわの長さに合わせて棒状に切る
A≫混ぜ合わせる

作り方

① プロセスチーズをちくわの穴に詰めて6等分の輪切りにする。
② ボウルに①、A、白ごまを入れて混ぜ合わせる。

Memo
■お好みで電子レンジで加熱してもおいしいです。
■辛いのが苦手な場合は、コチュジャンをトマトケチャップに替えるのもおすすめです。

@macaroni_news　ちくわにチーズを詰めて、混ぜるだけですぐできるピリ辛おつまみ。

03/26

キャベつくね

#がっつりメニュー　#ご飯がすすむ　#おつまみ

肉

フライパン

30min

材料（2～3人分）

キャベツ…250g
豚ひき肉…300g
塩…小さじ$\frac{1}{4}$
黒こしょう…少々
卵…1個
しょうが（すりおろし）…小さじ1
片栗粉…大さじ2
酒…大さじ1
サラダ油…大さじ1
お好み焼きソース…適量
マヨネーズ…適量
青のり…適量

下ごしらえ

キャベツ≫細切り

作り方

① ボウルにひき肉、塩、黒こしょうを入れてこねる。
② キャベツ、卵、しょうが、片栗粉を加えてさらにこね、$\frac{1}{8}$量ずつ平たい丸型に成形する。
③ フライパンにサラダ油を熱し、②を並べ入れて焼く。両面に焼き色がついたら酒を加え、ふたをして3分蒸し焼きにする。
④ 仕上げに、お好み焼きソース、マヨネーズ、青のりをかける。

Memo

■キャベツの芯がある場合は、薄切りにして加えてください。
■春キャベツを使うとよりおいしいです。

@macaroni_news　ソースとマヨネーズで見た目は小さなお好み焼きみたい！

03/27

肉巻きピーマンのしょうが焼き

#ご飯がすすむ　#がっつりメニュー

肉

フライパン

20min

材料（2～3人分）

ピーマン…4個
豚バラ肉（薄切り）…250g
塩・こしょう…各少々
片栗粉…適量
酒…大さじ1
A しょうゆ…大さじ2
A みりん…大さじ2
A 砂糖…大さじ$\frac{1}{2}$
A しょうが（すりおろし）…大さじ$\frac{1}{2}$
サラダ油…大さじ1

下ごしらえ

ピーマン≫縦4等分に切る
豚バラ肉≫塩・こしょうをふる

作り方

① 豚肉を広げたら手前にピーマンを1切れのせ、くるくると巻きつけたら全体に片栗粉をまぶす。
② フライパンにサラダ油を熱し、①の巻き終わりを下にして並べ入れる。全面に焼き色がついたら余分な油を拭き取り、酒を加えてふたをし、弱中火で3分蒸し焼きにする。
③ Aを加えて、強火で煮絡める。

Memo

■ピーマンが小さい場合は、縦3等分に切ってください。

@macaroni_news　手に入りやすい食材2つで食べごたえのあるおかずに。

03/28

オートミールお好み焼き

#粉もの　#おやつにも　#ヘルシー

10 min

フライパン　野菜

材料（2～3人分）

キャベツ…100g
オートミール…100g
水…300㎖
和風だしの素…小さじ1
卵…2個
桜えび…大さじ2
サラダ油…大さじ1
〈トッピング〉
お好み焼きソース…適量
マヨネーズ…適量
削り節…適量
青のり…適量
紅しょうが…適量

下ごしらえ

キャベツ≫せん切り

作り方

①耐熱ボウルにオートミール、水、和風だしの素を入れてサッと混ぜたら、ふんわりとラップをかけて電子レンジ600Wで3分加熱する。

②全体を軽く混ぜ、粗熱を取ったら卵を加えてよく混ぜる。キャベツ、桜えびを加えて混ぜ合わせる。

③フライパンにサラダ油を熱し、生地を3等分にして流し入れて焼く。3～4分を目安に、しっかり焼き色がついたら裏返し、両面に焼き色をつける。仕上げにソース、マヨネーズ、青のり、削り節をかけ、紅しょうがを添える。

Memo

■お好みで豚肉やいかなどを加えても。

@macaroni_news　小麦粉なしで作れて、ダイエットや腸活にもおすすめ！

03/29

なすの豚肉巻きピリ辛炒め

#作りおき　#中華風　#ご飯がすすむ

材料（2～3人分）

なす…3本
豚バラ肉（薄切り）…12枚（300g）
塩・こしょう…各少々
薄力粉…適量
サラダ油…大さじ1
A
- しょうゆ…大さじ1
- みそ…大さじ1
- 酒…大さじ1
- 豆板醤…小さじ1
- 砂糖…小さじ1

下ごしらえ

なす≫縦4等分に切る
豚バラ肉≫塩・こしょうをふる
A≫混ぜ合わせる

作り方

① 豚肉を広げたら手前になすを1切れのせ、くるくると巻きつけたら全体に薄力粉をまぶす。
② フライパンにサラダ油を熱し、巻き終わりを下にして①を並べ入れる。転がしながら全体に焼き色をつけ、ふたをして弱火で3~4分蒸し焼きにする。
③ Aを加えて煮絡める。

Memo
■豚肉は巻き終わりを下にして焼くことで、形が崩れずきれいに仕上がります。

肉
フライパン

@macaroni_news　豚バラ肉のコクを吸収したなすにたれがよく絡み、やみつきに

03/30

レンジで簡単ハムエッグ

#レンチン　#お弁当　#簡単レシピ

材料（1人分）

ハム（薄切り）…2枚
卵…1個
粉チーズ…小さじ1/4

作り方

① 耐熱の小さなボウルにハムを2枚重ねてのせる（1枚は半円が底にくるように、もう1枚は、中心が底にくるようにずらしてのせる）。
② ①に卵を割り入れ、つまようじで黄身に数か所穴をあける。
③ 粉チーズをかけて卵からはみ出た部分のハムを卵にかぶせる。
④ ふんわりとラップをかけて電子レンジ600Wで1分30秒加熱する。取り出して余熱で3分置く。半分に切り、水気を拭き取る。

Memo
■卵の黄身は破裂防止のため、必ずつまようじで穴をあけてください。
■お弁当に入れる場合はしっかりと火を通して、粗熱を取ってから詰めてくださいね。

肉
レンジ

@macaroni_news　切ったときの断面がきれいで、お弁当の彩りにぴったり。

03/31

きのこと豚肉のトマト煮

#作りおき★ #簡単レシピ #洋風

20min

フライパン 肉

材料(2~3人分)

豚こま肉…200g
玉ねぎ…1個
しめじ…1パック(80g)
エリンギ…4本
カットトマト缶…1缶(450g)
塩・こしょう…各適量
薄力粉…大さじ½
A トマトケチャップ…大さじ2
A ウスターソース…大さじ1
A コンソメスープの素…小さじ1
オリーブオイル…大さじ2

下ごしらえ

玉ねぎ≫薄切り
しめじ≫ほぐす
エリンギ≫乱切り
豚肉≫塩・こしょう、薄力粉をまぶす

作り方

① フライパンにオリーブオイル大さじ1を熱し、豚肉を炒める。9割ほど火が入ったら、一度取り出す。
② 同じフライパンにオリーブオイル大さじ1を弱火で熱し、玉ねぎをしんなりするまで炒め、しめじ、エリンギを加えてよく混ぜ合わせたら①を戻し入れ、強火で1分炒める。
③ トマト缶とAを加えてよく混ぜ合わせ、ときどき混ぜながら中火で5分ほど煮る。塩小さじ1で味をととのえる。

Memo

■きのこを加えたら、強火で焦げないように混ぜながら炒めてください。
■豚肉に薄力粉をまぶすことで、肉が縮まずやわらかく仕上がります。

@la_bonbonniere.toyohashi きのこのうまみが凝縮されて、ご飯にもパンにもあうおかずです。

Column 1

ゆで卵のベストおかず
ラクラク卵レシピ Part 1

いつでも手軽に手に入る卵で、絶対おいしい人気のレシピを作ってみましょう！
卵は栄養価も高く、プラスワンおかずにぴったりです。

麻辣卵《マーラー》

1. 鍋に水を入れ沸騰させ、冷蔵庫から出したての冷たい卵4個をおたまでそっと入れ、中火で6分30秒加熱する。その間に、玉ねぎ20ｇと長ねぎ20ｇをみじん切りにする。
2. 卵を冷水に取って冷やし、殻をむいて水気を拭き取る。
3. ボウルに、玉ねぎ、長ねぎ、しょうゆ大さじ3、水大さじ3、砂糖大さじ1、すりおろしにんにく小さじ1/2、輪切りとうがらし小さじ1、白いりごま小さじ2を入れて混ぜ合わせる。
4. 容器に卵と③を入れ、冷蔵庫で半日〜1日漬ける。

酢じょうゆのさっぱり煮卵

1. 卵6個を常温に戻しておく。
2. 鍋に水を入れ沸騰させ、常温に戻した卵をおたまでそっと入れ、中火で6分30秒加熱する。
3. 卵を冷水に取って冷やし、殻をむいて水気を拭き取る。
4. 密閉保存袋に、卵と砂糖大さじ1/2、しょうゆ大さじ3、酢大さじ2を入れて卵がつぶれないように軽く揉む。砂糖が溶けたら空気を抜いて袋の口をとじ、冷蔵庫で2時間冷やす。

04/01

サクサクカップキッシュ

#お弁当　#作りおき★

20min

トースター　野菜

材料（6個分）

ほうれん草…1束
玉ねぎ…¼個
ハーフベーコン（薄切り）…1パック（35g）
バター（無塩）…10g
塩・こしょう…各少々
餃子の皮…6枚
卵…1個
牛乳…大さじ2
ピザ用チーズ…50g

下ごしらえ

ほうれん草≫熱湯でサッとゆでて冷水に取り、水気を絞って3cm幅に切る
玉ねぎ≫薄切り
ベーコン≫1cm幅に切る

作り方

①フライパンにバターを熱し、玉ねぎ、ベーコンを入れて炒める。玉ねぎが透明になったらほうれん草を加え、塩・こしょう少々で味をととのえる。
②アルミカップに餃子の皮を敷き、①を⅙量ずつ入れる。
③ボウルに卵、牛乳、塩・こしょう少々を入れて混ぜ、②に注ぎ入れる。ピザ用チーズを乗せ、トースターで7分ほど焼く。

Memo

■ほうれん草は、熱湯でサッとゆでたらすばやく水にさらします。水気はしっかりと切ってくださいね。

@macaroni_news　餃子の皮を使うと簡単にお弁当サイズのキッシュが作れます。

04/02

担々肉みそ

#作りおき★　#中華風　#ご飯のおとも

10min

材料（2～3人分）

豚ひき肉…250g
にんにく（すりおろし）…小さじ1
しょうが（すりおろし）…小さじ1
豆板醤…小さじ1
A 甜麺醤…大さじ2
A 酒…大さじ1
A しょうゆ…小さじ1
ごま油…大さじ1

作り方

① フライパンにごま油、にんにく、しょうが、豆板醤を入れて弱火にかける。香りが立ってきたら、ひき肉を入れて炒める。
② ひき肉の色が変わってきたらAを加えて煮詰める。

Memo

■豆板醤の量はお好みで調節してください。
■作りおきする場合は、食べる前に電子レンジで再度温めましょう。

肉
フライパン

@macaroni_news　担々麺はもちろん、冷奴やサラダのトッピングにもぴったり！

04/03

キャベツとツナの無限ナムル

#レンチン　#スピード副菜　#包丁いらず

10min

材料（2人分）

キャベツ…1/4個
ツナ缶…1缶（70g）
A ごま油…大さじ1/2
A 鶏ガラスープの素…小さじ1
A しょうゆ…小さじ2/3
A にんにく（すりおろし）…小さじ1/2
白すりごま…小さじ1

下ごしらえ

キャベツ≫手でちぎる

作り方

① 耐熱ボウルにキャベツを入れ、ふんわりとラップをかけて電子レンジ600Wで2分30秒～3分加熱する。加熱後に水分が出たら拭き取る。
② キャベツを端に寄せ、あいたところに油分を切ったツナ缶とAを入れて混ぜ合わせる。混ざったら全体によくあえる。仕上げに白ごまをかける。

Memo

■味がぼやけないように、キャベツの水分をしっかり拭き取るのがポイントです。
■ツナ缶は水煮缶で作るとよりヘルシーな仕上がりになります。

野菜
レンジ

@macaroni_news　キャベツの食感とツナのうまみが味わえるレシピです。

04/04

エリンギの竜田揚げ

#お弁当　#材料ひとつだけ　#おつまみ

きのこ　フライパン

20min

材料（2〜3人分）

エリンギ…2本
A しょうゆ…大さじ1と1/2
A みりん…大さじ1と1/2
A にんにく（すりおろし）…小さじ1
A しょうが（すりおろし）…小さじ1
ごま油…小さじ1
片栗粉…大さじ3
揚げ油…適量

下ごしらえ

エリンギ≫乱切り

作り方

① ポリ袋にエリンギとAを入れて揉み込み、10分漬けたら、片栗粉を入れて全体にまぶす。
② フライパンに2cm深さの揚げ油を170℃に熱し、①を入れる。全面がきつね色になるまで揚げる。

Memo
■エリンギは切り方によって食感が変わります。さいたり、お好みの大きさに切ったり、アレンジしてみてください。

@macaroni_news　外はサクッと、中はコリッとした食感で何個でも食べられちゃう！

04/05

皮いらず！プチプチコーンしゅうまい

#レンチン　#作りおき★　#中華風

肉　レンジ

20min

材料（2人分）

鶏ひき肉…300g
玉ねぎ…1/4個
コーン缶…230g
片栗粉…大さじ1
A ごま油…大さじ1
A しょうゆ…小さじ2
A 鶏ガラスープの素…小さじ1
A 砂糖…小さじ1
塩・こしょう…各少々
酒…大さじ1

下ごしらえ

玉ねぎ≫みじん切り

作り方

① コーン缶は水気を切り、片栗粉を混ぜ合わせる。
② ボウルにひき肉、玉ねぎ、Aを入れて粘りが出るまでよくこねたら丸く成形し、①を周りにまぶす。
③ 耐熱皿に並べて酒を回しかけ、ふんわりとラップをかけて電子レンジ600Wで6分30秒加熱する。

Memo
■コーンは手でギュッと押しつけるようにしてまぶすと、加熱の際に取れにくくなります。

@macaroni_news　しゅうまいの皮いらず、しかもレンチンでできちゃうお手軽レシピ！

20min

04/06

豚みそキャベツのホイル焼き

#BBQレシピ　#ご飯がすすむ

肉　トースター

材料（2～3人分）

豚バラ肉（薄切り）…200g
キャベツ…80g
みそ…大さじ2
酒…大さじ2
みりん…大さじ2
A 砂糖…大さじ1
しょうゆ…小さじ2
にんにく（すりおろし）…小さじ1
ピザ用チーズ…40g

下ごしらえ

豚バラ肉≫4cm幅に切る
キャベツ≫ざく切り

作り方

①ボウルにAを入れて混ぜ合わせる。
②①に豚肉を加え、よくあえる。
③アルミホイルを広げ、上半分にキャベツ、②の順にのせる。余ったアルミホイルを半分に折ってキャベツと②を包み、手前と両端を2回ずつ折り込む。
④トースターで15分加熱し、アルミホイルを開けて熱いうちにピザ用チーズをかけてチーズを溶かす。お好みで青ねぎをかける。

Memo
■BBQなどでもおすすめです。その場合は、網の上で15分が焼き時間の目安です。

@macaroni_news 甘辛いみそだれが絡んだ豚バラ肉とキャベツの相性がばつぐん！

20min

04/07

鶏こんにゃくそぼろ

#ご飯のおとも　#お弁当　#作りおき★

肉　フライパン

材料（2～3人分）

鶏ひき肉…250g
こんにゃく…1枚（200g）
しいたけ…2枚
酒…大さじ1
しょうが（すりおろし）…小さじ½
A しょうゆ…大さじ2
みりん…大さじ2
砂糖…大さじ1

下ごしらえ

こんにゃく≫アク抜きし、厚さ3等分にしてから5mm角に切る
しいたけ≫粗みじん切り

作り方

①フライパンにひき肉、しいたけ、酒、しょうがを入れて火にかけ、炒める。
②肉の色が変わってきたら、こんにゃくを加えて1分ほど炒め、Aを加えて煮詰める。

Memo
■鶏ひき肉はむね肉だとさっぱり、もも肉だとジューシーに仕上がります。

@macaroni_news こんにゃくをプラスすることでボリュームアップ！

04/08

焼きなすのおかかポン酢漬け

#材料ひとつだけ　#作りおき

10min

材料（2～3人分）
なす…3本
ポン酢しょうゆ…大さじ2
みりん…大さじ1
A 水…大さじ1
しょうが(すりおろし)…小さじ½
ごま油…大さじ2
削り節…1g

下ごしらえ
なす》縦半分に切り、5㎜幅に斜めの切り込みを入れ、3等分に切る

作り方
① フライパンにごま油を熱し、なすを並べ入れ、全体に焼き色をつけながら焼く。
② Aを加えて煮絡める。
③ 削り節をかけ、お好みで青ねぎをちらす。

Memo
■なすに切り込みを入れることで、しっかりと味がなじみます。

野菜
フライパン

@macaroni_news　さっぱり味で箸休めにぴったり。あともう一品がほしいときに。

04/09

鶏もも肉のマーマレード煮

#材料ひとつだけ　#お弁当

15min

材料（2人分）
鶏もも肉…1枚
塩・こしょう…各少々
オレンジマーマレード…大さじ3
A しょうゆ…大さじ2
酒…大さじ1
にんにく(すりおろし)…小さじ½
サラダ油…大さじ1

下ごしらえ
鶏もも肉》余分な筋と脂を取り除き、両面に塩・こしょうをふる

作り方
① フライパンにサラダ油を熱し、鶏肉を皮目から入れて焼く。皮に焼き色がついたら裏返し、ふたをして弱火で5分蒸し焼きにする。
② Aを加えて煮詰めたら、食べやすい大きさに切り、お好みで野菜を添える。

Memo
■マーマレードジャムが余ってしまったときにぜひ作ってもらいたい一品です。
■鶏手羽や豚肉でもおいしく作れます。

肉
フライパン

@macaroni_news　マーマレードジャムを使うことで簡単に照りが出て見栄えばっちり！

04/10

豚肉とキャベツのフライパン蒸し

#ほったらかし　#ヘルシー

15min

フライパン　肉

材料（2人分）

豚バラ肉（薄切り）…250g
キャベツ…300g
A
酒…大さじ2
鶏ガラスープの素…小さじ1
〈つけだれ〉
ポン酢しょうゆ…大さじ3
白すりごま…大さじ1
砂糖…小さじ1
ごま油…小さじ1

下ごしらえ

豚バラ肉≫4cm幅に切る
キャベツ≫ざく切り
A≫混ぜ合わせる
つけだれ≫混ぜ合わせる

作り方

① フライパンにキャベツと豚バラ肉を交互に重ねて入れ、Aをかけたら、火にかける。
② ふたをして5～8分蒸し焼きにする。お好みで青ねぎをのせ、つけだれを添える。

Memo

■ フライパンの底が焦げつかないよう、火加減は調整してください。
■ 豚肉とキャベツを交互に重ねることで、豚肉のうまみが全体に染み込みます。

@macaroni_news　フライパンごと食卓に出せば、洗い物も少なくできちゃいます。

04/11

蒸しなすのごまあえ

#材料ひとつだけ　#レンチン　#スピード副菜

10min

野菜
レンジ

材料（2人分）
なす…2本（160g）
A
─白すりごま…大さじ2
─しょうゆ…小さじ2
─砂糖…小さじ1

下ごしらえ
A≫混ぜ合わせる

作り方
① なすは1本ずつラップに包み電子レンジ600Wで3分加熱する。粗熱が取れたらラップを外し、手で大きめにさく。
② 水分が出ていたら軽く絞り、Aを加えてよくあえる。

Memo
■蒸しなすは手でさくと味がなじみやすくなります。
■今回は電子レンジで加熱しましたが、蒸し器を使うと皮も柔らかく仕上がります。

@macaroni_news　ごまたっぷりで、とろっとしたなすが濃厚＆香ばしい味わいに。

04/12

手羽元のハニーマスタードチキン

#材料ひとつだけ　#作りおき　#おもてなし

20min

肉
フライパン

材料（2〜3人分）
鶏手羽元…10本
塩…小さじ1/4
黒こしょう…少々
A
─はちみつ…大さじ2
─粒マスタード…大さじ2
─にんにく（すりおろし）…小さじ1/2
サラダ油…小さじ2

下ごしらえ
鶏手羽元≫フォークで数か所穴をあけ、塩と黒こしょうをふる

作り方
① ボウルにAを入れて混ぜ合わせ、鶏肉を加えて全体に絡ませる。
② フライパンにサラダ油を熱し、皮目から鶏肉を並べ入れ、焼く。片面に焼き色がついたら裏返し、ふたをして10分ほど蒸し焼きにする。
③ ボウルに残ったAを加えて煮絡める。

Memo
■はちみつは焦げやすいので火加減に気をつけてください。

@macaroni_news　簡単なのにおしゃれに見えて、おもてなしにもおすすめ。

04/13

簡単えのき唐揚げ

#材料ひとつだけ　#おつまみ　#おやつにも

材料（2～3人分）

えのきだけ…200g

A
- にんにく（すりおろし）…1かけ分
- しょうが（すりおろし）…1かけ分
- 酒…大さじ1と1/2
- しょうゆ…大さじ1

片栗粉…適量
揚げ油…適量

下ごしらえ

えのきだけ≫小房に分ける

作り方

① ボウルにAを入れて混ぜ合わせ、えのきを加えてなじませる。

② バットなどに片栗粉を入れ、①にまぶす。

③ フライパンに1cm深さの揚げ油を180℃に熱し、えのきを揚げ焼きにする。

Memo

■片栗粉を、多めにまぶすとカリッと仕上がります。

きのこ
フライパン

@macaroni_news　えのきだけで作れるのに食べごたえはしっかり！

04/14

ねぎ塩ガーリックチキン

#下味冷凍　#作りおき★　#お弁当

材料（2人分）

鶏もも肉…500g（2枚）
長ねぎ…2本

A
- にんにく（すりおろし）…2かけ分
- 酒…大さじ3
- ごま油…大さじ3
- 鶏ガラスープの素…小さじ2
- 塩…小さじ1
- 砂糖…小さじ1/2

下ごしらえ

鶏もも肉≫皮目にフォークで数か所穴をあけ、大きめの一口大に切る
長ねぎ≫1cm幅の斜め切り

作り方

① 密閉保存袋に鶏肉、長ねぎ、Aを入れて袋をとじ、揉み込む。袋を半分に折って冷凍庫で保存する。

Memo

■冷凍の状態で2週間保存が可能です。

■食べるときは、フライパンにクッキングシートを敷いて①を凍ったまま並べ入れ、ふたをして弱中火で5分蒸焼きに。焼き色がついたら裏返し、再度ふたをして5分加熱してください。仕上げに、フライパンに残ったたれをかけます。

肉
フライパン

@macaroni_news　仕込んでおけば、凍ったまま蒸し焼き10分で完成の便利おかずです。

04/15

鯛のぜいたくアクアパッツァ

#おもてなし　#洋風

30min

フライパン　魚

材料（2人分）

鯛（切り身）…2切れ
塩・こしょう…各少々
あさり…160g
ブラックオリーブ…10g
ミニトマト…6個
にんにく…1かけ
白ワイン…80㎖
水…150㎖
オリーブオイル…大さじ3

下ごしらえ

あさり≫砂抜きをし、殻をこすり合わせてよく洗う
ブラックオリーブ≫5㎜幅の輪切り
にんにく≫つぶす

作り方

① 鯛に塩・こしょうをふり、10分ほど置き、水分を拭き取る。
② フライパンにオリーブオイルとにんにくを入れて弱火で炒める。香りが立ったらにんにくを一度取り出し、鯛を皮目から焼く。
③ 両面こんがりと焼いて、にんにくを戻し入れたら、あさり、ブラックオリーブ、ミニトマト、白ワインを加えて、強火でひと煮立ちさせる。
④ 水を加えてふたをし、あさりの口が開くまで5分ほど蒸し焼きにする。

Memo

■鯛に塩・こしょうをして水分を出すことで、臭みが取れます。

@macaroni_news　ふっくらとした鯛とあさりのうまみがぎゅっと詰まったスープがおいしい！

04/16

レンジで作るミニオムレツ

#レンチン　#お弁当　#包丁いらず

材料（1人分）

卵…1個
牛乳…大さじ1
塩・こしょう…各少々

作り方

① ボウルに卵、牛乳、塩・こしょうを入れてよく溶きほぐす。
② 耐熱ボウルにラップをゆるく二重に張り、くぼみを作る。①の卵液を流し入れ、そのままま電子レンジ600Wで40秒加熱する。
③ 取り出してかき混ぜ、再度電子レンジ600Wで40秒加熱する。
④ 熱いうちにラップで包むように形をととのえる。お好みでケチャップをかける。

Memo
■卵に熱が入りきらないうちに形をととのえるのがポイントです。火傷にはご注意ください。

5 min

その他　レンジ

@macaroni_news フライパンいらずで、オムレツが作れちゃうなんて！

04/17

簡単ポークチャップ

#お弁当　#作りおき　#簡単レシピ

材料（2人分）

豚ロース肉（薄切り）…200g
玉ねぎ…½個
にんにく（すりおろし）…小さじ1
酒…小さじ1
A
トマトケチャップ…大さじ3
ウスターソース…小さじ2
砂糖…小さじ1
サラダ油…小さじ1

下ごしらえ

玉ねぎ≫繊維に沿って1cm幅に切る
A≫混ぜ合わせる

作り方

① フライパンにサラダ油を熱し、玉ねぎ、にんにくを炒める。
② 豚肉を加えて、さらに炒める。豚肉に火が通ったら酒を加える。
③ Aを加えて煮絡める。

Memo
■薄切り肉なので、火の通りが早く、時短に。
■しめじなどを加えるのもおすすめです。

15 min

肉　フライパン

@macaroni_news 薄切り肉だから時短で完成。味つけはシンプルでラクラク！

20min

04/18

いそべじゃがチキン

#おつまみ　#お弁当　#おやつにも

材料（2～3人分）

鶏むね肉…1枚（300g）
じゃがいも…2個（280g）
酒…小さじ2
塩・こしょう…各少々
A
片栗粉…大さじ3
粉チーズ…大さじ1
マヨネーズ…大さじ1
青のり…小さじ2
揚げ油…適量

下ごしらえ

鶏むね肉≫1cm角に切る
じゃがいも≫皮つきのまま1cm角に切り、5分ほど水にさらし、水気を切る

作り方

① ボウルに鶏肉、酒、塩・こしょうを入れて混ぜ合わせる。じゃがいも、Aを加えてさらに混ぜ合わせる。
② フライパンに1cm深さの揚げ油を熱し、①をスプーンですくって入れる。
③ 片面がきつね色になったら裏返し、両面がカリッとなるまで揚げ焼きにする。

Memo
■青のりの風味もあるのでそのままでもおいしいですが、お好みでポン酢しょうゆをつけるのもおすすめです。

肉
フライパン

@macaroni_news　新じゃがいもで作るとカリほくっ、おいしい。もちろん新じゃがいもでなくてもOK。

25min

04/19

簡単タンドリーチキン

#下味冷凍　#作りおき★　#お弁当　#材料ひとつだけ

材料（4人分）

鶏むね肉…2枚（500g）
A
トマトケチャップ…大さじ3
はちみつ…大さじ3
プレーンヨーグルト…大さじ3
カレー粉…大さじ2
にんにく（すりおろし）…小さじ1
塩…小さじ½
黒こしょう…少々

下ごしらえ

鶏むね肉≫そぎ切り

作り方

① 密閉保存袋に鶏肉とAを入れてよく揉み込む。
② 鶏肉が重ならないように空気を抜きながら平らにならし、冷凍庫で保存する。

Memo
■冷凍の状態で2週間保存が可能です。
■食べるときは、冷蔵庫で半解凍にして、アルミホイルを敷いた天板に並べてトースターで10分焼きます。一度取り出してアルミホイルをかぶせ、さらに10分焼いてください。
■トースターの代わりに、オーブンやフライパンで焼いてもOKです。

肉
トースター

@macaroni_news　食べたいときに食べたい分だけトースターで焼いて食べられる！

04/20

揚げないソースとんかつ

#お弁当　#がっつりメニュー　#作りおき★

材料（4人分）

豚ロース肉（とんかつ用）…300g
塩・こしょう…各少々
水溶き薄力粉
（薄力粉…30g
水…大さじ3）
パン粉…30g
サラダ油…大さじ1

〈ソースだれ〉
中濃ソース…大さじ3
水…大さじ2
砂糖・みりん…各大さじ1
しょうゆ…小さじ2

下ごしらえ

豚ロース肉≫包丁の背でたたき、4等分に切る
ソースだれ≫耐熱ボウルに入れて混ぜ合わせ、電子レンジ600Wで2分加熱する

作り方

① 豚肉は塩・こしょうで下味をつける。
② フライパンにパン粉とサラダ油を入れて熱し、きつね色になるまで炒める。
③ ①の豚肉に水溶き薄力粉をつけ、②のパン粉をまぶす。
④ アルミホイルを敷いた天板にサラダ油適量（分量外）を塗って③を並べ、トースターで8～10分焼いたら、混ぜ合わせたソースだれにくぐらせ、お好みで白いりごまをかける。

肉
トースター

@macaroni_news　とんかつが熱いうちにたれにくぐらせて、味をしっかり染み込ませます。

04/21

旨辛みその無限ツナキャベツ

#スピード副菜　#作りおき★　#レンチン

材料（2人分）

キャベツ…3～4枚（200g）
ツナ缶（水煮）…1缶（70g）
みそ…大さじ1/2
ごま油…大さじ1/2
しょうゆ…小さじ1
砂糖…小さじ1
豆板醤…小さじ1/2
白すりごま…大さじ1と1/2

下ごしらえ

キャベツ≫ざく切り
ツナ缶≫汁気を軽く切る

作り方

① 耐熱ボウルにキャベツを入れ、ふんわりとラップをかけて電子レンジ600Wで2分30秒加熱する。
② 別のボウルにキャベツと白ごま以外の材料をすべて入れて混ぜ、キャベツ、白ごまを加えてよくあえる。お好みでさらに白ごまをかける。

Memo
■ツナのオイル漬けを使用する場合は、ごま油の量を小さじ1/2程度に減らしてください。

野菜
レンジ

@macaroni_news　大人気無限シリーズをキャベツでも！

04/22

かにかま豆腐おやき

#作りおき★ #おつまみ #お弁当

その他
フライパン

材料（2〜3人分）

木綿豆腐…200g
かに風味かまぼこ…3本
青ねぎ（小口切り）…8g
片栗粉…大さじ3
和風だしの素…小さじ½
しょうゆ…小さじ½
ごま油…小さじ2

下ごしらえ

木綿豆腐≫キッチンペーパーで包み、耐熱皿にのせて電子レンジ500Wで3分加熱し、水切りする
かに風味かまぼこ≫ほぐして3等分に切る

作り方

① ボウルに豆腐、かにかま、青ねぎ、片栗粉、だしの素、しょうゆを入れて混ぜる。
② フライパンにごま油を熱し、①をスプーンで落とし入れ、両面焼き色がつくまで焼く。

Memo
■豆腐は絹豆腐でも作れます。
■お弁当に入れるときは電子レンジで温め、よくさましてから入れてください。

@macaroni_news もちもち食感とやさしい味がたまらない一品。

04/23

ほうれん草とにんじんのナムル

#お弁当 #作りおき #レンチン

野菜
レンジ

材料（2人分）

ほうれん草…1束
にんじん…½本（50g）
A
ごま油…小さじ2
めんつゆ（3倍濃縮）…小さじ1
鶏ガラスープの素…小さじ⅓
にんにく（すりおろし）…小さじ½
白いりごま…小さじ¼

下ごしらえ

にんじん≫細切り

作り方

① ほうれん草はラップに包んで電子レンジ600Wで2分30秒加熱する。冷水にさらし、水気をしっかりと絞り、3〜4㎝幅に切る。
② 耐熱ボウルににんじんを入れ、ふんわりとラップをかけて電子レンジ600Wで1分加熱する。
③ ②のにんじんの水気を拭き取り端に寄せたら、Aをあいたところに入れ、混ぜ合わせる。
④ ほうれん草を加えて全体を混ぜ合わせ、白ごまをかける。

Memo
■ほうれん草は、冷水にさらした後、味がぼやけないようにしっかりと水気を切ってください。

@macaroni_news 韓国のりをプラスしてもおいしい！

04/24

鶏むねチキン南蛮

#がっつりメニュー　#お弁当　#おつまみ

30min

フライパン　肉

材料（2〜3人分）

鶏むね肉…1枚
A
酒…大さじ1
しょうが（すりおろし）…小さじ1
砂糖…小さじ1/2
塩・こしょう…各少々
薄力粉…適量
溶き卵…1個分
揚げ油…適量
B
酢…大さじ2
しょうゆ…大さじ2
みりん…大さじ2
砂糖…大さじ1
〈タルタルソース〉
卵…1個
玉ねぎ…1/4個
たくあん…30g
C
マヨネーズ…大さじ4
塩…ひとつまみ
こしょう…少々

下ごしらえ

鶏むね肉》観音開きにし、ラップをかぶせてめん棒などでたたき広げ、2等分に切る
玉ねぎ、たくあん》みじん切り

作り方

① 鶏肉は、Aで下味をつけて数分置き、薄力粉をまぶし、溶き卵にくぐらせる。
② フライパンに1〜2cm深さの揚げ油を170℃に熱し、①を揚げ焼きにする。
③ フライパンをきれいにし、Bを入れて煮立たせたら、②を戻し入れて全体に絡めて器に盛る。
④ ボウルにタルタルソースの卵を割り入れ、黄身を割るように2、3回混ぜる。ふんわりとラップをかけて、電子レンジ600Wで1分30秒加熱する。卵をつぶしながら混ぜ、Cを混ぜ合わせ③にかける。お好みでパセリをちらす。

Memo

■卵は爆発防止のため、黄身を少しかき混ぜるか、つまようじで穴をあけてからレンジで加熱します。

@macaroni_news　タルタルソースに入れるたくあんが味のポイント。

04/25

切り干し大根と豚肉の炒めもの

#中華風　#ご飯がすすむ

肉
フライパン

材料（2人分）

豚バラ肉（薄切り）…200g
切り干し大根…50g
しいたけ…2個
しょうが（すりおろし）…1かけ分
塩・こしょう…各少々
A
オイスターソース…大さじ1
しょうゆ…大さじ1
酒…大さじ1
みりん…大さじ1
ごま油…大さじ1

下ごしらえ

豚バラ肉》3㎝幅に切る
切り干し大根》サッと洗ってから水で戻して水気を絞り、食べやすい長さに切る
しいたけ》5㎜幅の薄切り

作り方

① フライパンにごま油、しょうがを入れて火にかけ、香りが立ったら豚肉、塩・こしょうを加え炒める。
② 肉の色が変わったらしいたけ、切り干し大根を加えてサッと炒め合わせる。
③ Aを加えて汁気がなくなるまで炒める。お好みで青ねぎをちらす。

Memo
■切り干し大根はサッと炒めることでシャキッとした食感に仕上がります。

@macaroni_news　普段は副菜になりがちな切り干し大根が主菜になるレシピです。

04/26

基本のサラダチキン

#基本のレシピ　#ヘルシー　#ほったらかし

肉
鍋

材料（2～3人分）

鶏むね肉…1枚（300g）
A
砂糖…小さじ1
鶏ガラスープの素…小さじ½
しょうが（すりおろし）…小さじ½
塩…小さじ¼

下ごしらえ

鶏むね肉》両面をフォークで刺し、穴をあける

作り方

① 密閉保存袋に鶏肉とAを入れて揉み込み、冷蔵庫で半日ほど寝かせる。
② 鍋にたっぷりの水を入れて火にかけ、沸騰したら火からおろし、①を保存袋ごと入れてふたをし1時間湯せんする。
③ さめたら取り出して、お好みの厚さに切る。

Memo
■湯せん時間は、様子をみて調節してくださいね。中心に火が通っていない場合は、数分再加熱してください。
■湯せん中に鶏肉が浮いてくる場合は、皿などで重しをして、鶏肉全体がしっかりお湯に浸かるようにしてください。

@macaroni_news　袋の空気をしっかり抜いて、全体をお湯につけるのがポイント。

04/27

ごまと大葉香るトマトしらすポン酢

#スピード副菜　#おつまみ　#加熱なし

魚

なし

5 min

材料（4人分）

しらす干し…80g
トマト…2個
大葉…2枚
ポン酢しょうゆ…大さじ1
ごま油…大さじ1

下ごしらえ

トマト≫一口大に切る
大葉≫せん切り

作り方

①ボウルにしらす干し、トマト、ポン酢しょうゆ、ごま油を入れて混ぜ合わせる。
②①を器に盛り、大葉をのせる。お好みで白いりごまをかける。

Memo

■混ぜ合わせるときはトマトがつぶれないように優しく混ぜ合わせてください。
■豆腐にのせるのもおすすめです。

@macaroni_news　ポン酢とトマトと大葉でさわやかな味わいです。

04/28

なすの天ぷら

#基本のレシピ　#材料ひとつだけ

野菜

フライパン

20 min

材料（2人分）

なす…2本
薄力粉…適量
揚げ油…適量
〈衣〉
溶き卵…½個分
冷水…100mℓ
薄力粉…50g

下ごしらえ

なす≫縦4等分に切り、上から1・5cmほどを残して縦に5mm幅の切り込みを3〜4本入れ、扇形に開く

作り方

①なすの皮目に薄力粉を薄くまぶす。
②ボウルに溶き卵と冷水を入れて混ぜ、薄力粉を加えてさっくりと切るように混ぜ合わせる（かき混ぜすぎると粘りが出てしまうので注意）。
③①のなすの切れ目を扇状に広げた状態で、②の衣にサッとくぐらせたら、170℃に熱した揚げ油に、なすの皮目を下にしてゆっくりと入れ、1分ほど揚げる。裏返してさらに1〜2分揚げる。
④油を切り、お好みで天つゆとりおろししょうがを添える。

Memo

■衣をつけすぎると、サクッと揚がらないので注意してください。

@macaroni_news　扇状にすることで火が均一に入り、とろける食感を楽しめます。

04/29

サイコロステーキ弁当

#お弁当　#ご飯がすすむ

15min

レンジ　フライパン　肉　野菜

材料（1人分）

ご飯…茶碗1杯分
〈サイコロステーキ〉
合いびき肉…150g
塩…少々
黒こしょう…少々
薄力粉…大さじ1
A しょうゆ…大さじ2
A 砂糖…大さじ1
A 酢…小さじ1
バター…5g
〈ガーリックポテト〉
じゃがいも…½個（75g）
粉チーズ…小さじ1
コンソメスープの素…少々
にんにく（すりおろし）…少々
〈ミックスベジタブルソテー〉
ミックスベジタブル…50g
塩・こしょう…各少々
サラダ油…大さじ1

下ごしらえ

じゃがいも》2cm厚さのくし形切り

作り方

①耐熱ボウルにじゃがいもを入れ、ふんわりとラップをかけて電子レンジ600Wで1分加熱し、粉チーズ、コンソメ、にんにくを加えて混ぜる。
②ひき肉はパックに入れたまま両面に塩、黒こしょう、薄力粉をまぶし、ラップをかけて手でおさえて長方形に成形する。
③フライパンにサラダ油を強火で熱し、②を入れて焼く。片面に焼き色がついたら裏返し、フライパンのあいたところに①を入れて焼き、取り出す。
④あいたところにミックスベジタブルを入れて軽く炒め、ふたをして弱火で7分蒸し焼きにする。塩・こしょうで味をととのえたらミックスベジタブルを取り出す。
⑤④のフライパンにAを入れ、煮絡める。
⑥⑤をサイコロ状に切り分ける。お弁当箱にご飯を詰めてつけ合わせとともに詰める。仕上げにフライパンに残ったソースをかける。

@macaroni_news　ひき肉はこねずに、薄力粉をまぶすとジューシーに仕上がります。

⏱15min

04/30

明太マヨ卵焼き

#おつまみ　#お弁当　#包丁いらず

材料（2～3人分）

卵…3個

A
- 砂糖…大さじ1
- しょうゆ…小さじ½
- 青ねぎ（小口切り）…10g

明太子…1本（50g）

マヨネーズ…大さじ1と½

サラダ油…適量

下ごしらえ

明太子≫ラップで包み、端をキッチンバサミで切り落とし、端からボウルに中身を押し出す

その他

卵焼き器

作り方

① ボウルに明太子とマヨネーズを入れて混ぜ合わせる。

② 別のボウルに卵を溶きほぐし、Aを加えてさらに混ぜる。

③ 卵焼き器にサラダ油を熱し、側面までしっかりと油をなじませる。②の⅓量を流し入れ、卵焼き器を動かしながら全体に広げる。

④ ①をのせて奥から手前に巻いていく。再び卵焼き器全体に油をなじませて同じことを卵液がなくなるまで繰り返す。粗熱を取り、お好みの大きさに切り分ける。

Memo

■明太マヨネーズはゆるいと巻きにくいので、少しもったりするかたさに。明太子の大きさに合わせて、マヨネーズの量を調節してください。

@macaroni_news　中からとろ～りあらわれる明太マヨソースがやみつきです。

Column 2

鶏肉おかずをもっとおいしく!

安価でおかずに使いやすい鶏肉は、
ちょっとしたひと手間でしっとりジューシーに仕上げることができます。

パサつきをおさえたい!

調理の最初に砂糖を揉み込みましょう。砂糖には保水力があるため、しっとりジューシーに仕上がります。パサつきやすいむね肉やささみにはとくにおすすめです。片栗粉をまぶしたり、余熱で火を通す方法でもパサつきをおさえることができます。

むね肉を柔らかく仕上げたい!

むね肉には繊維が多くあり、加熱すると繊維が収縮してかたくなる原因に。繊維に対して垂直に包丁を入れて、繊維を断ち切るようにそぎ切りにすると柔らかさをキープできます。

皮つきのまま調理してもいい?

鶏肉には皮つきのまま販売されているものとそうでないものがあります。皮つきのまま調理する場合は、皮にフォークで穴を開けておくと味染みがよくなったり、皮が縮むのを防いだりすることができます。皮をパリッと焼きたいときは、フライパンに押しつけるようにして焼き上げましょう。

05/01

紫キャベツのマリネ

#材料ひとつだけ　#簡単レシピ　#お弁当

野菜

なし

25min

材料（2人分）

紫キャベツ…1/4個
塩…小さじ1/2
A
酢…大さじ2
オリーブオイル…大さじ2
砂糖…小さじ2
黒こしょう…少々

下ごしらえ

紫キャベツ≫せん切り

作り方

① ボウルに紫キャベツと塩を入れて揉み込み、10分ほど置き、水気を絞る。

② ボウルにAを入れて混ぜ合わせ、①を加えてあえたら、冷蔵庫で1時間ほど漬ける。

Memo

■漬け込んですぐでもおいしく食べられます。

@macaroni_news 彩りがよく、お弁当の副菜にもおすすめです。

05/02

おつまみガーリックラスク

#簡単レシピ　#おつまみ　#おやつにも

その他

トースター

15min

材料（2人分）

食パン（8枚切り）…2枚
にんにく…1かけ
オリーブオイル…大さじ3
A
粉チーズ…大さじ1
塩…小さじ1/3
パセリ…適量

下ごしらえ

食パン≫一口大に切る
にんにく≫みじん切り
パセリ≫みじん切り
A≫混ぜ合わせる

作り方

① 耐熱皿に食パンをのせ、ラップはかけずに電子レンジ600Wで1分加熱し、乾燥させる。

② 食パンにAをぬり、オーブンシートを敷いた天板にのせ、200℃のオーブントースターでカリッとするまで8〜10分焼く。

Memo

■にんにくはチューブのすりおろしを使用してもおいしくできます。
■トースターは1000Wのものを使用しています。

@macaroni_news 食パンはあらかじめレンチンしておくことでよりサクサクに！

05/03

基本の豆腐ハンバーグ

#基本のレシピ　#和風　#ヘルシー

20min

フライパン　肉

材料（2〜3人分）

合いびき肉…180g
玉ねぎ…1/2個
木綿豆腐…200g
卵…1個
A
片栗粉…大さじ1
コンソメスープの素…小さじ1/2
塩…小さじ1/4
こしょう…少々
サラダ油…大さじ1
〈たれ〉
ポン酢しょうゆ…大さじ2
砂糖…大さじ1/2
しょうが（すりおろし）…小さじ1/2

下ごしらえ

玉ねぎ≫みじん切り
たれ≫混ぜ合わせる

作り方

① 耐熱容器に玉ねぎを入れ、ふんわりとラップをかけて電子レンジ600Wで1分加熱し、粗熱を取る。

② 豆腐をキッチンペーパーで包み、耐熱容器に入れて電子レンジ600Wで2分加熱し、粗熱を取る。

③ ボウルにひき肉、①、②、卵、Aを入れて粘りが出るまでこねたら、4等分の小判形に成形し、中心をくぼませる。

④ フライパンにサラダ油を熱し、③を並べ入れて焼く。片面に焼き色がついたら裏返して、ふたをし、弱中火で5分ほど蒸し焼きにする。たれを加えてひと煮立ちさせる。

Memo

■玉ねぎが熱いまま肉だねを作ると、肉の脂が溶け出てハンバーグがパサつく原因になるので、必ず粗熱を取ってから混ぜ合わせてください。

05/04

セロリと鶏肉の旨塩炒め

#簡単レシピ　#ご飯がすすむ　#お弁当

肉　フライパン

材料（2～3人分）

セロリ…1本
鶏もも肉…1枚（250g）
酒…大さじ1
塩…ひとつまみ
片栗粉…大さじ1
A
酒…大さじ1
鶏ガラスープの素…大さじ½
レモン果汁…小さじ1
塩…少々
ごま油…大さじ1

下ごしらえ

セロリ≫1cm幅の斜め切り。葉は食べやすい大きさに切る
鶏もも肉≫2cm角に切る
A≫混ぜ合わせる

作り方

① 鶏肉に酒と塩をまぶし、片栗粉を揉み込む。
② フライパンにごま油を熱し、鶏肉を入れて焼き色がつくまで炒める。
③ セロリを加えて油が回るまで炒める。
④ ③にAを回し入れ、サッと炒め合わせる。

Memo
■セロリの食感が残るように、サッと炒め合わせてください。

@macaroni_news　レモン果汁を入れて、さっぱり味に。

05/05

豆腐とツナのナゲット

#お弁当　#おつまみ　#おやつにも

魚　フライパン

材料（2～3人分）

木綿豆腐…1丁（300g）
ツナ缶…1缶（70g）
卵…1個
A
薄力粉…60g
マヨネーズ…大さじ2
しょうゆ…大さじ1
しょうが（すりおろし）…小さじ1
揚げ油…適量
トマトケチャップ…大さじ2
ウスターソース…小さじ1

下ごしらえ

木綿豆腐≫キッチンペーパーを二重にして包み、電子レンジ600Wで3分加熱し、重しを乗せて15分置き、水切りする

作り方

① ボウルに木綿豆腐、ツナ缶、卵、Aを加えてよく混ぜる。
② フライパンに1～2cm深さの揚げ油を170℃に熱し、①をスプーン2本使って成形し、両面にこんがりと焼き色がつくまで揚げ焼きにする。
③ ケチャップとウスターソースを混ぜ合わせたソースを添える。

Memo
■豆腐はしっかりと水切りするのがポイントです。成形しにくい場合は薄力粉を足してください。

@macaroni_news　ツナ缶は油ごと使うとうまみたっぷりに。

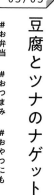

05/06

鶏肉の香草パン粉焼き

#おもてなし　#お弁当　#簡単レシピ

30min

材料（2人分）

鶏むね肉…1枚（300g）
塩…少々
黒こしょう…少々
マスタード…大さじ1
〈香草パン粉〉
パン粉…30g
オリーブオイル…大さじ2
粉チーズ…大さじ1
乾燥パセリ…小さじ2

下ごしらえ

鶏むね肉»1cm幅のそぎ切り
香草パン粉»混ぜ合わせる

作り方

①鶏肉に塩、黒こしょう、マスタードで下味をつけ、香草パン粉を全体にまぶす。
②オーブンシートを敷いた天板に①を並べ、200℃に予熱したオーブンで12〜15分焼く。

Memo
■タイムやローズマリーなどお好みのハーブで作っても。
■オーブンがない場合は、トースターやフライパンでも調理可能です。

肉　オーブン

@macaroni_news 揚げずに香草パン粉をまぶして、オーブンで焼くお手軽レシピ。

05/07

オクラの白あえ

#和風　#ヘルシー　#基本のレシピ

15min

材料（2人分）

木綿豆腐…½丁（150g）
オクラ…8本
塩…小さじ1
A
白すりごま…大さじ1
めんつゆ（3倍濃縮）…大さじ1
砂糖…小さじ1

下ごしらえ

木綿豆腐»キッチンペーパーで包み、重しをのせて20分ほど置き、水切りする
オクラ»ヘタの先を切り落としてガクをむき、塩（分量外）をまぶして板ずりする

作り方

①鍋に湯を沸かし、塩を加えてオクラをゆでる。2分ほどゆでたら水に取り、粗熱を取る。
②キッチンペーパーで水気を拭き取り、2cm幅の斜め切りにする。
③ボウルに豆腐を入れてつぶし、Aを入れ、混ぜ合わせる。②を加えてあえる。

Memo
■オクラはゆですぎると食感が悪くなるので注意しましょう。また、切ってからゆでると水っぽくなってしまうので、必ずゆでてから切ってください。

野菜　鍋

@macaroni_news 豆腐はフードプロセッサーを使うと、よりなめらかな口当たりに。

05/08

鶏むね肉のマヨしょうが焼き

#ご飯がすすむ　#作りおき★　#お弁当

肉　フライパン

20min

材料（3〜4人分）

鶏むね肉…1枚（250g）
玉ねぎ…1/2個
A─塩・こしょう…各少々
─片栗粉…適量
マヨネーズ…大さじ2
しょうが（すりおろし）
…大さじ1
酒…大さじ3
みりん…大さじ3
しょうゆ…大さじ2

下ごしらえ

鶏むね肉≫そぎ切り
玉ねぎ≫薄切り

作り方

① 鶏肉にラップをかけてめん棒などでたたきのばし、Aをまぶす。
② フライパンにマヨネーズを入れて熱し、①を並べ入れて焼く。両面に焼き色がついたら、玉ねぎを加えて炒める。
③ しょうが、酒、みりん、しょうゆを加え、全体に絡める。

Memo
■作りおきにする場合は、粗熱を取ってから冷蔵庫で保管し、2〜3日で食べ切りましょう。

@macaroni_news　マヨネーズを加えてまろやかでコク深い味わいがおいしい。

05/09

いんげんとにんじんのごまあえ

#スピード副菜　#お弁当　#レンチン

野菜　レンジ

15min

材料（2〜3人分）

さやいんげん…12本
にんじん…60g
A─白すりごま…大さじ3
─めんつゆ（3倍濃縮）
…小さじ2
─砂糖…小さじ1/2
─しょうゆ…小さじ1/2

下ごしらえ

さやいんげん≫4cm長さに切る
にんじん≫4cm長さ、5mm角の棒状に切る
A≫混ぜ合わせる

作り方

① 耐熱容器にいんげん、にんじんを入れ、ふんわりとラップをかけて電子レンジ600Wで2分加熱する。
② ボウルにAと水気を拭き取った①を入れ、あえる。

Memo
■いんげんとにんじんの水気は、しっかりと拭き取ると味がぼやけません。

@macaroni_news　色鮮やかなおかずなので、お弁当の彩りにもぴったりです。

05/10

ふんわり鶏しそつくね

#お弁当　#作りおき　#おつまみ

30min

フライパン　肉

材料（2人分）

鶏ひき肉（もも肉）…300g
塩…ひとつまみ
長ねぎ…½本
大葉…10枚
A
しょうが（すりおろし）…小さじ1
マヨネーズ…大さじ1
片栗粉…大さじ1
サラダ油…大さじ1
〈たれ〉
しょうゆ…大さじ1
酒…大さじ1
みりん…大さじ1
砂糖…大さじ½

下ごしらえ

長ねぎ≫みじん切り

作り方

①ボウルに、鶏ひき肉、塩を入れてこね、粘りが出てきたら、長ねぎ、ちぎった大葉4枚、Aを加えてさらにこねる。
②6等分に丸めて大葉で包む。
③フライパンにサラダ油を熱し、②を焼く。片面に焼き色がついたら、裏返し、ふたをして弱火で3～4分蒸し焼きにする。
④たれの材料を加え、全体に絡める。お好みで卵黄を添える。

Memo

■肉だねのまとまりが悪い場合は、片栗粉を少し足してください。

@macaroni_news 大葉は包むだけでなく、肉だねにもちぎって入れるのがポイント。

05/11

高野豆腐の和風ハンバーグ

#ヘルシー #和風 #作りおき

材料（2人分）
合いびき肉…250g
玉ねぎ…1/2個
高野豆腐…1枚
牛乳…大さじ3
卵…1個
塩…小さじ1/2
砂糖…小さじ1/2
サラダ油…大さじ1
大根おろし…適量
大葉…2枚
ポン酢しょうゆ…適量

下ごしらえ
玉ねぎ≫みじん切り

作り方
① 高野豆腐は乾燥した状態のまま、おろし金ですりおろし、牛乳に浸す。
② 耐熱容器に玉ねぎを入れふんわりとラップをかけて電子レンジ600Wで1分加熱し、粗熱を取る。
③ 別のボウルに合いびき肉、卵、塩、砂糖、①を入れ、こねる。粘りが出たら②を加えさらにこね、2等分にして俵形に成形する。
④ フライパンにサラダ油を熱し、③を5分焼く。裏返し、ふたをしてさらに7分蒸し焼きにする。器に盛り、大葉と大根おろしをのせ、ポン酢をかける。

肉
フライパン

@macaroni_news 高野豆腐で栄養満点。鶏ひき肉を使うとよりヘルシーになります。

05/12

鶏むね回鍋肉《ホイコーロー》

#ご飯がすすむ #中華風

材料（2人分）
鶏むね肉…1枚（300g）
キャベツ…100g
ピーマン…1個
長ねぎ…1/3本
塩・こしょう…各適量
片栗粉…適量
A 甜麺醤…大さじ1
　オイスターソース…小さじ1
　しょうゆ…小さじ1
　酒…小さじ1
ごま油…小さじ2
豆板醤…小さじ1

下ごしらえ
鶏むね肉≫一口大のそぎ切り
キャベツ≫ざく切り
ピーマン≫乱切り
長ねぎ≫斜め薄切り
A≫混ぜ合わせる

作り方
① 鶏肉に塩・こしょうをふり、片栗粉をまぶす。
② フライパンにごま油と豆板醤を入れて熱し、香りが立ったら①を入れ、両面焼く。
③ 鶏肉に焼き色がつき火が通ったら、キャベツ、ピーマン、長ねぎを加えて炒め合わせる。
④ 野菜がしんなりしたらAを加え、全体を絡ませる。お好みで糸とうがらしをのせる。

肉
フライパン

@macaroni_news 節約＆糖質ひかえめ。片栗粉をまぶして、肉をしっとり仕上げます。

05/13

鮭キムチ

#ご飯のおとも　#おつまみ　#加熱なし

10min

材料（3～4人分）

白菜キムチ…100g
サーモン（刺身用）…150g
塩・こしょう…各少々
〈漬けだれ〉
みそ…大さじ1
ごま油…大さじ1
豆板醤…小さじ½
にんにく（すりおろし）…小さじ½
しょうが（すりおろし）…小さじ½

魚
なし

下ごしらえ

白菜キムチ≫1cm幅に切る
サーモン≫縦2等分にし、横にして1cm幅に切る
漬けだれ≫混ぜ合わせる

作り方

① 保存容器にサーモンを入れ、塩・こしょうをふる。
② ①にキムチと漬けだれを加えて、混ぜ合わせる。ラップを密着させるようにかぶせ、冷蔵庫で30分以上置く。お好みで白いりごまをふる。

Memo
■のりで巻いておつまみにするのもおすすめです。

@macaroni_news ご飯もお酒も永遠にすすんでしまう、クセになる味わい。

05/14

ひじきと大豆の五目煮

#和風　#レンチン　#ご飯のおとも

15min

材料（2～3人分）

乾燥芽ひじき…9g
油揚げ…½枚
水煮大豆…50g
にんじん…50g
水…100mℓ
めんつゆ（3倍濃縮）…大さじ3
砂糖…大さじ1

その他
レンジ

下ごしらえ

ひじき≫水でサッと洗い、ぬるま湯に8～10分ほどつけて戻し、水気を切る
油揚げ≫熱湯をかけて油抜きをし、細切り
にんじん≫細切り

作り方

① 耐熱ボウルに水、めんつゆ、砂糖を入れて混ぜる。
② ①にひじき、油揚げ、大豆、にんじんを加えて軽く混ぜ合わせ、ふんわりとラップをかけて電子レンジ600Wで4分加熱する。一旦取り出し、全体を混ぜて再度ラップをかけ、さらに4分加熱し、そのまま粗熱を取る。

Memo
■粗熱が取れるまで置くことで、より味が染みてふっくらと仕上がります。

@macaroni_news 市販のめんつゆを使うことで、少ない調味料で作れちゃいます。

05/15

水菜のベーコンチーズ巻き

#スピード副菜　#おつまみ　#簡単レシピ

材料（2人分）
水菜…100g
ベーコン（薄切り）…6枚
ピザ用チーズ…30g
ポン酢しょうゆ…大さじ1
バター…15g

下ごしらえ
水菜≫5cm長さに切る

野菜　フライパン

作り方
① ベーコンを広げて水菜をのせ、手前から巻き、巻き終わりをつまようじでとめる。
② フライパンにバターを熱し、①の巻き終わりを下にして焼く。焼き色がついたら裏返し、ポン酢を加えて絡める。ピザ用チーズをのせ、ふたをして1分蒸し焼きにする。

Memo
■ハーフベーコンを使用する場合は、水菜の量を減らして巻いてください。
■ポン酢しょうゆの代わりに、めんつゆでアレンジしても◎。

@macaroni_news　シャキシャキの水菜、とろっとしたチーズ、ベーコンの相性がばつぐん！

05/16

キムチ春雨

#作りおき★　#レンチン　#スピード副菜

材料（2～3人分）
春雨…80g
きゅうり…1本
白菜キムチ…200g
A 白いりごま…大さじ2
ごま油…大さじ1
鶏ガラスープの素…小さじ1
砂糖…小さじ1

下ごしらえ
きゅうり≫せん切り
白菜キムチ≫粗みじん切り

野菜　レンジ

作り方
① 耐熱容器に春雨とひたひたくらいの水を入れ、ふんわりとラップをかけて電子レンジ600Wで6分加熱し、水気を切る。
② ボウルに①、きゅうり、キムチ、Aを入れてよくあえる。

Memo
■レシピではカット春雨を使用しています。長い春雨を使う場合は、食べやすい長さに切ってください。

@macaroni_news　キムチが味を決めてくれるので、少ない調味料で作れます。

05/17

手羽元のさっぱり煮

#圧力鍋レシピ　#簡単レシピ　#ほったらかし

30min

材料（3～4人分）
鶏手羽元…10本
しょうが…10g
ポン酢しょうゆ…250mℓ
水…150mℓ
砂糖…大さじ3
ゆで卵…4個

下ごしらえ
しょうが≫皮ごと薄切り

作り方
①圧力鍋にゆで卵以外のすべての材料を入れる。
②圧力鍋にふたをして強火にかける。圧力がかかったら、弱火にして20分加圧する。
③火を止め、圧力表示ピンが下がり切ったらふたをあけてゆで卵を加え、汁気が少なくなるまで煮詰める。

Memo
■普通の鍋で作る場合は、水を200mℓにして40分ほどふたをして煮込んで様子を見てください。
■安全のため、加圧時間が終わったら自然に圧が下がるまで待ってください。

肉　鍋

@macaroni_news　調味料はポン酢と砂糖の2つだけでラクラク。

05/18

豆腐しそハンバーグ

#ご飯がすすむ　#お弁当　#作りおき★

20min

材料（3～4人分）
絹豆腐…200g
鶏ひき肉…300g
青ねぎ（小口切り）…10g
塩・こしょう…各適量
大葉…11枚
A 砂糖…大さじ2
　しょうゆ…大さじ2
　酒…大さじ2
水溶き片栗粉
（片栗粉…小さじ½
水…小さじ1）
サラダ油…小さじ2

下ごしらえ
絹豆腐≫キッチンペーパーに包み、電子レンジ600Wで1分加熱して水切りする

作り方
①ボウルに絹豆腐、ひき肉、青ねぎ、塩・こしょうを入れてよくこねたら、11等分にして丸め、大葉を巻きつける。
②フライパンにサラダ油を熱し、①を焼く。両面に焼き色がついたらふたをして、3分蒸し焼きにする。
③一度取り出して、フライパンをきれいにしたら、Aを入れて加熱する。沸いたら火を弱めて水溶き片栗粉を加え、②を戻し入れ、煮絡める。

肉　フライパン

@kazu_deli_1111 豆腐の水気をしっかり切るのがポイント。

05/19

なすとピーマンと豚肉の照り焼き

#ご飯がすすむ　#お弁当　#簡単レシピ

15min

フライパン　肉

材料（2人分）

豚こま肉…150g
ピーマン…2個
なす…3本
片栗粉…適量
A
酒…大さじ2
砂糖…大さじ1
しょうゆ…大さじ1
みりん…大さじ1
サラダ油…大さじ1

下ごしらえ

ピーマン≫一口大の乱切り
なす≫5㎜幅の斜め切りにして水に5分さらし、水気を拭き取る

作り方

①なすに片栗粉を薄くまぶす。
②フライパンにサラダ油を熱し、豚肉を炒める。肉の色が変わったらなすを加え、しんなりするまで炒める。
③ピーマンを加えて炒め、火が通ったらAを加え、照りが出るまで煮絡める。

Memo

■なすのアク抜きは、上からキッチンペーパーをかぶせるとなすが浮かず、しっかり水につかるので変色も防げます。

@macaroni_news　なすに片栗粉をまぶしてから焼くことで味がよく絡みます。

05/20

結びちくわの唐揚げ

#おつまみ　#お弁当　#材料ひとつだけ

25min

材料（2～3人分）

ちくわ…4本
A しょうゆ…小さじ2
酒…小さじ1
みりん…小さじ1
にんにく（すりおろし）…小さじ½
しょうが（すりおろし）…小さじ½
片栗粉…適量
揚げ油…適量

下ごしらえ

ちくわ≫縦4等分に切る
A≫混ぜ合わせる

作り方

① ちくわを1本ずつ結ぶ。
② ボウルにAとちくわを入れて混ぜ合わせ、そのまま10分ほど置いてなじませる。
③ ②の表面に片栗粉をまぶす。
④ フライパンに1㎝深さの揚げ油を180℃に熱し、③を並べ入れ、両面に揚げ色がつくまで揚げる。お好みで青ねぎをかけて、おろしポン酢をつける。

Memo
■ちくわは5㎜幅くらいに切ると結びやすいです。両端を引っ張りすぎると、切れてしまうので注意してください。

food その他
フライパン

@macaroni_news まるでお肉みたい！　一口サイズのかわいい唐揚げです。

05/21

さっぱりきゅうりとわかめの酢の物

#スピード副菜　#おつまみ　#和風

10min

材料（2人分）

乾燥わかめ…5g
きゅうり…1本
塩…小さじ½
A 砂糖…大さじ2
酢…大さじ2
薄口しょうゆ…小さじ½

下ごしらえ

わかめ≫水で戻して水気を絞る
きゅうり≫薄切り

作り方

① きゅうりは塩をふって揉み、しんなりとしたら水気を絞る。
② ボウルにAを入れてよく混ぜ、①とわかめを加えて混ぜ合わせる。お好みで白いりごまをふる。

Memo
■きゅうりやわかめの水分が残っていると味が薄くなってしまうので、しっかりと水気を切ってください。

野菜
なし

@macaroni_news さっぱりとした味つけに、きゅうりの食感がたまらないおかずです。

05/22

鶏むねヤンニョムチキン

#作りおき　#お弁当　#ご飯がすすむ

肉
フライパン

20min

材料（2～3人分）

鶏むね肉…300g
酒…大さじ1
砂糖…小さじ1
塩…少々
片栗粉…適量
A
コチュジャン…大さじ2
トマトケチャップ…大さじ2
はちみつ…大さじ2
しょうゆ…大さじ1
にんにく（すりおろし）…小さじ1
サラダ油…大さじ4
ピーナッツ…10g

下ごしらえ

鶏むね肉≫フォークで数か所穴をあけ、繊維を断つように食べやすい大きさに切る
ピーナッツ≫粗く砕く

作り方

①鶏肉に酒、砂糖、塩をまぶして5分ほど置き、片栗粉をまぶす。
②フライパンにサラダ油を熱し、①を並べ入れて火が通るまで揚げ焼きにする。
③余分な油を拭き取り、Aを加えて全体を絡めたら器に盛り、ピーナッツをかける。

Memo
■鶏肉は酒と砂糖を揉み込むことでしっとりと仕上がります。

@macaroni_news　韓国の定番料理を鶏むね肉で揚げずに簡単に作れるレシピです。

05/23

大葉とチーズのくるくる肉巻き

#包丁いらず　#お弁当　#作りおき

肉
フライパン

20min

材料（3～4人分）

豚ロース肉（薄切り）…16枚
塩・こしょう…各少々
大葉…8枚
スライスチーズ（とろけるタイプ）…8枚
薄力粉…大さじ1
A
ポン酢しょうゆ…大さじ1
みりん…大さじ1/2
めんつゆ（3倍濃縮）…大さじ1/2
サラダ油…大さじ1/2

作り方

①豚肉は端が重なるように2枚ずつ重ねて広げ、塩・こしょうで下味をつける。
②①の上に大葉とチーズを1枚ずつ重ねて巻き上げ、薄力粉をまぶす。
③フライパンにサラダ油を熱し、②を焼く。火が通ったら、Aを加え、全体に絡める。

Memo
■チーズがはみ出ないように巻き上げてください。
■2倍濃縮のめんつゆを使う場合は、大さじ3/4にしてください。

@macaroni_news　めんつゆとポン酢を組み合わせるので、簡単に味が決まります。

05/24

油揚げの焼き春巻き

#お弁当　#おつまみ

その他
トースター

材料（2人分）

油揚げ…6枚
キャベツ…150g
玉ねぎ…1/4個
ツナ缶…1缶（70g）
A マヨネーズ…大さじ2
A しょうゆ…小さじ1
塩・こしょう…各少々

下ごしらえ

油揚げ≫熱湯をかけて油抜きする
キャベツ≫せん切り
玉ねぎ≫薄切り

作り方

① 油揚げは表面に菜箸を転がしてから3辺に切り込みを入れ、開く。
② ボウルにキャベツ、玉ねぎ、ツナ缶、Aを入れて混ぜ合わせる。
③ 油揚げに②の1/6量を中央より少し下にのせ、下から折って具を包み、両端を内に折り込み最後まで巻いたら巻き終わりをつまようじでとめる。
④ アルミホイルを敷いた天板に③を並べ、トースターで10分焼く。お好みで青ねぎや一味とうがらしをかける。

Memo
■トースターの種類によって焼き時間は調整してください。油揚げに焼き色がつくくらいが目安です。

@macaroni_news　油揚げを開いて、春巻きの皮のように使うアイデアレシピです。

05/25

まるごとピーマンのにんにくポン酢浸し

#レンチン　#スピード副菜　#包丁いらず

野菜
レンジ

材料（2人分）

ピーマン…5個
A ポン酢しょうゆ…50㎖
A 水…50㎖
A ごま油…小さじ1
A にんにく（すりおろし）…小さじ1/2

下ごしらえ

ピーマン≫ヘタと種は取らずそのまま軽く手でつぶす
A≫混ぜ合わせる

作り方

① 耐熱容器にピーマンを入れ、Aをかける。
② ふんわりとラップをかけて電子レンジ600Wで5分加熱する。
③ ピーマンを裏返して4〜5分そのまま置き、味をなじませる。お好みで糸とうがらしをのせる。

Memo
■ピーマンをまるごと食べることに抵抗がある場合や、購入してから時間が経っているものを使う場合は、ヘタと種を取り除いてください。

@macaroni_news　ピーマンをまるごと使ってレンジでチン！　洗い物も少なく！

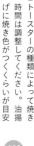

05/26

まるごとささみのチキン南蛮

#ご飯がすすむ　#おつまみ　#がっつりメニュー

20 min

フライパン　肉

材料（3人分）

鶏ささみ…6本
塩・こしょう…各少々
薄力粉…適量
溶き卵…2個分
揚げ油…適量
〈甘酢だれ〉
しょうゆ…大さじ3
酢…大さじ2
みりん…大さじ2
砂糖…大さじ1
〈タルタルソース〉
ゆで卵…1個
玉ねぎ…¼個（50g）
大葉…2枚
マヨネーズ…大さじ3
塩・こしょう…各少々

下ごしらえ

鶏ささみ≫筋を取り除く
ゆで卵≫みじん切り
玉ねぎ≫みじん切りにして水にさらし、水気を取る
大葉≫みじん切り

作り方

① ささみは塩・こしょうで下味をつけたら薄力粉をまぶし、溶き卵にくぐらせる。
② フライパンに1㎝深さの揚げ油を170℃に熱し、①を入れて上下を返しながら4〜5分揚げ焼きにする。
③ 別のフライパンに甘酢だれの材料を入れて煮立たせ、②を入れて全体に煮絡める。
④ 器に盛り、混ぜ合わせたタルタルソースをかける。

Memo

- 一度に全量揚げると油の温度が下がってしまうため、2回に分けて揚げてください。
- 熱いうちに甘酢だれにつけると味がよくなじみます。

@macaroni_news　タルタルソースに大葉を使ってさわやかに。

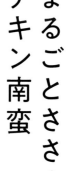

05/27

やみつき蒸しなすのねぎだく漬け

#レンチン　#作りおき　#簡単レシピ

野菜　レンジ

20min

材料（3人分）

なす…3本
長ねぎ…½本
しょうが…1かけ
A 酢…大さじ3
A しょうゆ…大さじ3
A ごま油…大さじ1
A 砂糖…小さじ4
A 白いりごま…小さじ2

下ごしらえ

長ねぎ≫みじん切り
しょうが≫みじん切り

作り方

① なすは竹串で数か所穴をあけ、1本ずつラップに包んだら耐熱容器にのせ、電子レンジ600Wで4〜5分加熱する。
② 冷水に取り、粗熱を取ったら水気を拭き取り、手でさいてヘタを取り除く。
③ 長ねぎ、しょうが、Aを混ぜ合わせ、保存容器に入れたなすにかける。冷蔵庫で半日ほど漬ける。

Memo
■なすの数か所に穴をあけることで、レンジ加熱をしても破裂しにくくなります。

@macaroni_news　なすをまるごとレンチンして手でさくことで、味も染み込みやすく。

05/28

ブロッコリーの浅漬け

#レンチン　#ほったらかし　#ヘルシー

野菜　レンジ

15min

材料（2人分）

ブロッコリー…1個
A 白だし（10倍濃縮）…大さじ3
A 水…大さじ3
A 酢…大さじ1
A 砂糖…小さじ½
A 赤とうがらし（輪切り）…½本分

下ごしらえ

ブロッコリー≫小房に分ける。茎は長ければ長さを半分にし、皮を厚めにむき、薄切り
A≫混ぜ合わせる

作り方

① 耐熱容器にブロッコリーを入れ、ふんわりとラップをかけて電子レンジ600Wで2分30秒〜3分30秒加熱する。
② 水気を拭き取り、密閉保存袋にブロッコリーとAを入れて口をとじ、冷蔵庫に半日ほど置く。

Memo
■ブロッコリーの加熱時間は様子を見ながら調節してください。

@macaroni_news　ブロッコリーをレンチンして漬けるだけの簡単すぎるレシピ。

10 min

05/29

ピリ辛生ハムユッケ

#加熱なし　#おつまみ　#ご飯のおとも

材料（2人分）
生ハム…50g
きゅうり…1/2本（50g）
長ねぎ…10g
A コチュジャン…小さじ1
A ごま油…小さじ1
A にんにく（すりおろし）…少々
卵黄…1個分

下ごしらえ
生ハム≫細切り
きゅうり≫細切り
長ねぎ≫白髪ねぎにする

作り方
① ボウルに生ハム、きゅうり、白髪ねぎ、Aを入れて混ぜ合わせる。
② 器に盛って中央に卵黄を落とし、お好みで白いりごまをふる。

Memo
■生ハムときゅうりは大きさを揃えることで、味がなじみやすくなります。
■お好みで豆板醤やキムチを入れて辛さを足しても。

肉
なし

@macaroni_news　長ねぎとコチュジャンとにんにくで作ったピリ辛だれでユッケ風に。

20 min

05/30

キムチーズチヂミ

#ヘルシー　#おやつにも

材料（2〜3人分）
オートミール…30g
水…50㎖
卵…1個
白菜キムチ…50g
ニラ…10g
ピザ用チーズ…20g
めんつゆ（3倍濃縮）…小さじ1
鶏ガラスープの素…小さじ1/2
ごま油…適量

〈たれ〉
はちみつ…小さじ1
酢…小さじ1
しょうゆ…小さじ1
白いりごま…小さじ1/2

下ごしらえ
ニラ≫4㎝長さに切る
たれ≫混ぜ合わせる

作り方
① ボウルにオートミールと水を入れ、ラップをかけて電子レンジ600Wで2分加熱する。
② ①に卵を割り入れ、キムチ、ニラ、チーズ、めんつゆ、鶏ガラスープの素を加えて混ぜ合わせる。
③ フライパンにごま油を熱し、②を流し入れ、両面にカリッと焼き色がつくまで焼く。食べやすい大きさに切り、お好みで糸とうがらしをのせ、たれを添える。

Memo
■お好みの具材を入れてアレンジしてみてください。

その他
フライパン

@macaroni_news　オートミールを使ったチヂミ、ダイエット中にもおすすめです。

05/31

なすの塩揉み薬味あえ

#ご飯がすすむ　#加熱なし　#スピード副菜

10min

なし

野菜

材料（2人分）

なす…2本（160g）
みょうが…1個
しょうが…1かけ
大葉…2枚
塩…小さじ½
しょうゆ…少々
白いりごま…小さじ1

下ごしらえ

なす≫2〜3㎜幅の斜め薄切り
みょうが≫縦半分に切ってから斜め薄切り
しょうが≫せん切りにして水にさらす
大葉≫せん切りにして水にさらす

作り方

① 厚手のポリ袋になす、みょうが、しょうが、塩を加えてよく揉み込み、空気を抜きながら口をとじて10分置く。
② ポリ袋の角を切り落とし、水をよく絞ったらボウルに入れ、大葉、しょうゆ、白ごまを加えて軽くあえる。

Memo

- なすはしんなりするまでよく揉み込み、水分をしっかり絞るのがポイントです。水分が残っていると水っぽくなってしまうので気をつけましょう。
- 仕上げにごま油を加えるとナムルに。

@macaroni_news 袋にすべての材料を入れて揉み込むだけなのでとっても簡単です。

Column 3

おうちの電子レンジに合わせて使える

ワット数ラクラク早見表

レシピに出てくる電子レンジのワット数が、家で使っているレンジと違う……
そんなときに役立つ早見表です。

200W	500W	600W	700W	1000W
3倍	1.2倍	基準	0.9倍	0.6倍
30秒	12秒	10秒	9秒	6秒
1分	24秒	20秒	18秒	12秒
1分30秒	36秒	30秒	27秒	18秒
2分	48秒	40秒	36秒	24秒
2分30秒	1分	50秒	45秒	30秒
3分	1分10秒	1分	54秒	36秒
4分30秒	1分50秒	1分30秒	1分20秒	54秒
6分	2分20秒	2分	1分50秒	1分10秒
9分	3分40秒	3分	2分40秒	1分50秒
12分	4分50秒	4分	3分40秒	2分20秒
15分	6分	5分	4分30秒	3分
18分	7分10秒	6分	5分20秒	3分40秒

※変換した時間はあくまで目安です。実際の食材の様子を見ながら、お持ちの電子レンジに合わせて微調節をしてください。

⚠ 電子レンジ調理の注意

① ホーロー容器・アルミカップは電子レンジNG

作りおきおかずの保存に便利なホーロー容器ですが、電子レンジの使用はできません。また、冷凍の際にアルミカップを使っている場合も、そのまま電子レンジに入れずに、耐熱容器に移し替えて温めてください。

② 突沸現象（突然沸騰する）に注意

電子レンジは液体を加熱すると突沸現象が起こる可能性があります。加熱時間を短めに、口が広い容器で、様子を見ながら加熱しましょう。加熱後はすぐ取り出さずに少し時間をおき、火傷に注意して扱ってください。

③ 卵など殻つきの食品の加熱

殻や膜のある食品は破裂する可能性があります。生卵を加熱する場合は、必ず割りほぐしてから。ゆで卵、目玉焼きなども破裂の可能性があるため、あらかじめつまようじで黄身に数か所穴を開けておくと安全です。

夏

6月
7月
8月

06/01

簡単ねぎだく鶏ささみ

#レンチン　#ヘルシー　#ご飯がすすむ

20min

レンジ　肉

材料（3人分）

鶏ささみ…3本
長ねぎ…2本
酒…大さじ2
塩・こしょう…各少々
ごま油…大さじ1
A
にんにく（すりおろし）…小さじ1
鶏ガラスープの素…小さじ1
塩・こしょう…各少々
ごま油…大さじ1

下ごしらえ

鶏ささみ≫筋を取り除く
長ねぎ≫斜め薄切り

作り方

①耐熱容器にささみを入れて酒、塩・こしょうで下味をつけ、ふんわりとラップをかけて電子レンジ600Wで2分30秒加熱し、粗熱を取る。
②フライパンにごま油を熱し、長ねぎをしんなりするまで炒める。
③ボウルに②を入れ、①のささみを手で細かくほぐして加え、Aを入れてあえる。お好みで白ごまをふる。

Memo

- ささみは火が入りすぎると食感がパサついてしまうので、加熱時間は様子を見ながら調整してください。
- 長ねぎはしっかり炒めると甘みが出ておいしくなります。

@macaroni_news　ご飯にも合いますが、パスタと合わせてもおいしいです。

06/02

豚肉のピカタ

#洋風　#簡単レシピ　#お弁当

肉　フライパン

材料（2～3人分）

豚ロース肉（薄切り）…6枚（200g）
塩・こしょう…各少々
薄力粉…大さじ2
バター…20g
A ┌卵…2個
　 └粉チーズ…大さじ2

下ごしらえ

A ≫ 混ぜ合わせる

作り方

① 豚肉は両面に塩・こしょうをふり、薄力粉をまぶす。
② ①をAにくぐらせる。
③ フライパンにバターを熱し、②を焼く。両面に薄く焼き色がついたら器に盛り、お好みでケチャップをかける。

Memo
■薄切り肉を使用しているので、両面に焼き色がつけば中までしっかりと火が通ります。心配な場合は火を止めてからふたをし、余熱で火を通しても。

@macaroni_news　シンプルなのに、食べごたえばつぐん。

06/03

大葉の照り焼き鶏つくね

#お弁当　#作りおき　#ヘルシー

肉　フライパン

材料（3人分）

鶏ひき肉…150g
はんぺん…1枚（110g）
長ねぎ…1/4本（25g）
大葉…14枚
A ┌酒…大さじ1
　 │片栗粉…大さじ1
　 └しょうが（すりおろし）…小さじ1
サラダ油…大さじ1/2
〈たれ〉
しょうゆ…大さじ1
酒…大さじ1
みりん…大さじ1
砂糖…大さじ1/2

下ごしらえ

長ねぎ ≫ みじん切り
大葉 ≫ 4枚をせん切り

作り方

① はんぺんはよくつぶす。
② ボウルにひき肉、長ねぎ、せん切りにした大葉、はんぺんを入れてこねる。粘り気が出たら、Aを加えてさらにこね、1/10量ずつ小判形に成形し、大葉で包む。
③ フライパンにサラダ油を熱し、②を並べ入れる。弱中火で片面に焼き色がついたら裏返し、ふたをして弱火で5分蒸し焼きにする。
④ たれの材料を加え、全体を絡める。お好みで卵黄を添える。

@macaroni_news　はんぺんをよくつぶして、全体をよく混ぜることでふわふわに。

06/04

えのきと豚肉のレンジ蒸し

#レンチン　#簡単レシピ

きのこ
レンジ

材料（2人分）

えのきだけ…1袋（200g）
豚バラ肉（薄切り）…150g
A 酒…小さじ2
　鶏ガラスープの素…小さじ½
〈たれ〉
青ねぎ（小口切り）…10g
ポン酢しょうゆ…大さじ3
ごま油…小さじ2
白いりごま…小さじ2
砂糖…小さじ¼

下ごしらえ

えのきだけ≫長さを2等分にしてほぐす
豚バラ肉≫5～6cm幅に切る
A≫混ぜ合わせる

作り方

① 耐熱の器にえのきを少量だけ残して広げ、上に豚肉を重ならないようにのせる。その上に残しておいたえのきをのせる。
② Aを回しかけ、ふんわりとラップをかけて電子レンジ600Wで5分加熱し、混ぜ合わせたたれを回しかける。

Memo
■加熱ムラをなくすため、豚肉同士が重ならないように並べてください。

@macaroni_news　えのきと豚肉を皿に並べてレンチンしたらあっという間に完成。

06/05

ブロッコリーの塩昆布あえ

#レンチン　#スピード副菜　#材料ひとつだけ

野菜
レンジ

材料（2～3人分）

ブロッコリー…1個（350g）
酒…小さじ1
A 塩昆布…10g
　白すりごま…大さじ1
　ごま油…小さじ2
　めんつゆ（3倍濃縮）…小さじ1
　削り節…3g

下ごしらえ

ブロッコリー≫小房に分ける。茎は皮の硬い部分を取り除き、乱切り

作り方

① 耐熱ボウルにブロッコリーを入れて、酒をふる。ふんわりとラップをかけて電子レンジ600Wで2分加熱する。
② 粗熱が取れたら水気を拭き取り、Aを加えてあえる。

Memo
■ブロッコリーの水気はしっかりと拭き取るのがおいしく仕上げるコツです。

@macaroni_news　ブロッコリーをレンチンしてあえるだけの簡単レシピ。

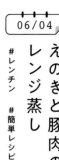

⏱20min

06/06

ささみチップス

#おつまみ　#ヘルシー　#材料ひとつだけ

肉　レンジ

材料（2〜3人分）

鶏ささみ…2本
粉チーズ…大さじ1
粗びき黒こしょう…適量

下ごしらえ

鶏ささみ≫そぎ切り

作り方

① クッキングシートでささみを挟み、めん棒などでたたいて平たくのばす。
② かぶせたほうのクッキングシートを取り除き、表面に粉チーズと黒こしょうをふる。
③ クッキングシートごと耐熱皿にのせ、ラップはかけずに電子レンジ600Wで3分加熱する。裏返したら再び3分加熱する。

Memo
- 透けるくらい薄くのばすとカリカリに仕上がります。
- レンジの加熱時間は様子を見て調節してください。

@macaroni_news 揚げずに作れてヘルシー！　おやつにもぴったりです。

⏱15min

06/07

とんぺい焼き

#おつまみ　#スピード副菜

野菜　フライパン

材料（2〜3人分）

豚バラ肉（薄切り）…100g
キャベツ…200g
卵…2個
A 片栗粉…大さじ½
A 水…大さじ½
A 塩…少々
B しょうゆ…大さじ½
B みりん…大さじ½
B 和風だしの素…小さじ½
サラダ油…大さじ1

下ごしらえ

豚バラ肉≫3cm幅に切る
キャベツ≫5mm幅の細切り

作り方

① ボウルに卵を割り入れ、Aを加え混ぜ合わせる。
② フライパンにサラダ油大さじ½を熱し、豚肉を炒める。色が変わったらキャベツを加えて強火で1分ほど炒め、Bを加えて炒め合わせ、取り出しておく。
③ 小さめのフライパンにサラダ油大さじ½を熱し、①の卵を流し入れる。軽く混ぜ、半熟状になったら②を中央にのせ、包むように折りたたむ。器に盛り、お好みでソース、マヨネーズ、削り節、青のりをかける。

Memo
- 卵に片栗粉を混ぜ合わせることで、破れにくくなります。

@macaroni_news 人気の鉄板焼きメニューがフライパンでおうちでも簡単に作れます。

06/08

焼きなすのにんにくだれあえ

#簡単レシピ　#ご飯がすすむ　#材料ひとつだけ

野菜
フライパン

20min

材料（2～3人分）

なす…3本
白いりごま…大さじ2
A
しょうゆ…大さじ2
酢…大さじ2
砂糖…大さじ1
にんにく（すりおろし）…小さじ1
ごま油…大さじ3

下ごしらえ

なす≫縦半分に切り、皮目に格子状に切り込みを入れる
A≫混ぜ合わせる

作り方

① フライパンにごま油を熱し、切った面を下にしてなすを並べ入れる。焼き色がついたら裏返す。
② なすに火が通ったら器に盛り、Aをかける。お好みで青ねぎをかける。

Memo
- なすに切り込みを入れるときは、ねぎカッターを使うと便利です。
- 温かいままでも、冷蔵庫で少し味をなじませてからでもおいしく食べられます。

@macaroni_news　なすが主役になれる、たれとの相性ばつぐんのレシピ。

06/09

照りポンチキン

#ご飯がすすむ　#材料ひとつだけ　#お弁当

肉
フライパン

15min

材料（2～3人分）

鶏むね肉…1枚
塩・こしょう…各少々
片栗粉…大さじ2
ポン酢しょうゆ…大さじ4
はちみつ…大さじ2
ごま油…大さじ1
青ねぎ…適量
白いりごま…適量

下ごしらえ

鶏むね肉≫一口大に切る

作り方

① 鶏肉は塩・こしょうで下味をつけて片栗粉をまぶす。
② フライパンにごま油を熱し、①を焼く。表面の色が変わったら、ふたをして5分蒸し焼きにする。
③ ポン酢とはちみつを加えて煮詰め、青ねぎと白いりごまをかける。

Memo
- 鶏肉の加熱時間は様子を見て調整してください。
- 鶏もも肉を使ってもおいしく作れます。

@macaroni_news　甘酢っぱい味つけでついつい食べてしまうおかずに。

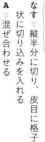

06/10

たっぷりきのこの酸辣湯《サンラータン》スープ春雨

#ヘルシー　#中華風

30min

鍋　きのこ

材料（2人分）

豚バラ肉…100g
にんじん…1/2本（75g）
しょうが…20g
えのきだけ…50g
しめじ…50g
春雨…35g
水…800㎖
鶏ガラスープの素…大さじ2
酒…大さじ2
しょうゆ…大さじ2
A 酢…大さじ3
　ラー油…小さじ2
　塩・こしょう…各少々
水溶き片栗粉…大さじ1
（片栗粉・水…各大さじ1）
卵…2個

下ごしらえ

豚バラ肉≫3cm幅に切る
にんじん、しょうが≫せん切り
えのきだけ、しめじ≫ほぐす

作り方

① 鍋に水、鶏ガラスープの素、酒、しょうゆを入れて強火にかけ、豚肉、にんじん、しょうが、えのき、しめじを入れてアクを取りながら10分煮る。

② 春雨を加えて3分加熱し、Aを加える。ひと煮立ちしたら弱火にし、水溶き片栗粉を加えて混ぜ、一度煮立たせてとろみをつける。

③ 菜箸に溶いた卵をつたわせて回し入れ、一度火を止めて卵に火を通す。お好みで青ねぎと白いりごまをかける。

Memo

■ 水溶き片栗粉でとろみをつける際は、よくかき混ぜてムラがないように気をつけましょう。
■ ラー油の量はお好みで調整してみてください。

@macaroni_news ヘルシーで、体もぽかぽか温まる何度でも食べたくなるスープです。

06/11

なす南蛮

#材料ひとつだけ　#スピード副菜　#お弁当

野菜
フライパン

材料（2～3人分）

なす…3本（300g）
片栗粉…大さじ2
A
砂糖…大さじ1
しょうゆ…大さじ1
酢…大さじ1
水…大さじ1
和風だしの素…小さじ½
赤とうがらし（輪切り）…小さじ½
サラダ油…大さじ3

下ごしらえ

なす » 一口大の乱切りにして水にさらし、水気を拭き取る

作り方

① なすに片栗粉をまぶす。
② フライパンにサラダ油を熱し、なすを揚げ焼きにする。
③ 弱火にして余分な油を拭き取り、Aを加えて煮絡める。

Memo
■ なすは皮目から入れてください。

@macaroni_news　さっぱり味でご飯がすすみます。

06/12

きゅうりの漬物

#材料ひとつだけ　#作りおき　#加熱なし

野菜
なし

材料（2人分）

きゅうり…2本
塩…小さじ1
A
しょうゆ…小さじ2
砂糖…小さじ1
ごま油…小さじ1
しょうが（すりおろし）…小さじ½
赤とうがらし（輪切り）…½本

下ごしらえ

きゅうり » 塩（分量外）をふって板ずりし、サッと水洗いして水気を拭き取る

作り方

① めん棒などできゅうりを軽くたたき、手で食べやすい大きさにちぎる。
② ボウルに①と塩を入れてよく揉み込み、10分置いてしんなりしたら水気を絞る。
③ 密閉保存袋に②とAを入れて揉み込み、10分漬ける。

Memo
■ きゅうりはめん棒でたたくと味が染み込みやすくなります。
■ 漬けてすぐに食べてもおいしいですが、冷蔵庫で冷やすとさらに味がなじみます。
■ しょうがはせん切りにして加えると食感のアクセントに。

@macaroni_news　ごま油の香りがきいた甘辛いしょうゆだれがおいしい。

06/13

ささみの梅肉カツ

#お弁当　#おつまみ

25min

肉
フライパン

材料（2〜3人分）

鶏ささみ…4本
塩・こしょう…各少々
梅干し…3粒
みりん…小さじ1
削り節…大さじ1
大葉…4枚
スライスチーズ（とろけるタイプ）…2枚
薄力粉…適量
溶き卵…1個分
パン粉…適量
揚げ油…適量

下ごしらえ

鶏ささみ》筋を取り除き、観音開きにし、包丁の背でたたき広げる
梅干し》種を取り、たたく
スライスチーズ》1枚を4等分にする

作り方

① ささみに塩・こしょうで下味をつける。
② 梅干し、みりん、削り節は混ぜ合わせ①の片面に塗る。大葉、スライスチーズをのせて端から巻き上げる。
③ ②に薄力粉、溶き卵、パン粉の順でまぶし、170℃に熱した揚げ油できつね色になるまで揚げる。お好みで食べやすい大きさに切る。

@macaroni_news　ささみは観音開きにしてから包丁の背でたたくと平らになって巻きやすいです。

06/14

時短で味染み肉じゃが

#下味冷凍　#作りおき★　#和風

25min

野菜
フライパン

材料（4人分）

じゃがいも…400g（3個）
にんじん…½本
玉ねぎ…1個
豚バラ肉（薄切り）…200g
A
しょうゆ…大さじ4
みりん…大さじ4
砂糖…大さじ2
酒…大さじ2
だし汁…200mℓ(半量に対して)
（水…200mℓ
和風だしの素…小さじ1）

下ごしらえ

じゃがいも》小さめの一口大に切る
にんじん》5mm厚さの半月切り
玉ねぎ》くし形切り
豚バラ肉》3cm幅に切る

作り方

① 密閉保存袋にじゃがいも、にんじん、玉ねぎ、豚肉、Aを入れて揉み込む。平らにならして半分に折り、冷凍庫で保存する。

Memo
■冷凍で2週間保存が可能です。
■食べるときは、フライパンに凍ったままの①を半量とだし汁を入れ、ふたをして加熱します。沸騰したらアクを取り、全体を混ぜたら再びふたをして15分煮込んでください。お好みでいんげんを添えても。

@macaroni_news　しっかり味の染みた肉じゃがが15分煮込むだけで完成！

06/15

豚こまピーマンの肉詰め

#ご飯がすすむ　#お弁当

フライパン　肉

材料（2〜3人分）

ピーマン…4個
豚こま肉…200g
酒…適量
塩・こしょう…各少々
片栗粉…適量
ピザ用チーズ…適量
サラダ油…大さじ1
A
ウスターソース…大さじ3
トマトケチャップ…大さじ3
はちみつ…小さじ1

下ごしらえ

ピーマン》縦半分に切る

作り方

① ボウルに豚肉、酒小さじ1、塩・こしょう、片栗粉大さじ1を入れて混ぜ合わせる。
② ピーマンの内側に片栗粉をまぶし、チーズ、①の順に詰める。
③ フライパンにサラダ油を熱し、肉の面を下にして並べ入れる。焼き色がついたら裏返し、酒大さじ1を加えてふたをして弱火で7〜9分ほど蒸し焼きにし、取り出す。
④ フライパンをきれいにして、Aを入れて軽く煮詰め、器に盛った③にかける。

Memo

■ 豚こま肉が大きくて詰めにくい場合は、キッチンバサミや包丁で切り、小さくしてください。
■ チーズはなるべく隠れるように詰めることで、焼いたときに外に出るのを防ぎます。

@macaroni_news　こねる必要のない豚こま肉を使った時短レシピです。

06/16

レンジでチーズオムレツ

#お弁当　#レンチン　#簡単レシピ

その他

レンジ

材料（1人分）

卵…1個
ピザ用チーズ…10g
牛乳…大さじ1
コンソメスープの素
…小さじ½

10min

作り方

①ボウルに卵を割り入れ、溶きほぐし、チーズ、牛乳、コンソメを加えて混ぜ合わせる。

②耐熱ボウルにラップを敷き①を流し込み、ラップはかけずに電子レンジ600Wで40秒加熱し、かき混ぜる。再度電子レンジ600Wで1分加熱する。

③ボウルからラップごと取り出し、両端をねじり形をととのえる。

Memo

■お弁当に入れる場合は、中まで火をしっかりと通してください。
■お好みでベーコンやほうれん草を加えてアレンジしても。
■形をととのえるときは火傷に注意してください。

@macaroni_news　卵1個で作る小さいサイズのかわいいオムレツです。

06/17

じゃばらきゅうりの旨辛ねぎだく漬け

#ほったらかし　#加熱なし　#おつまみ

野菜

なし

材料（2～3人分）

きゅうり…2本
水…350㎖
塩…小さじ1
A
長ねぎ…1本（50g）
しょうゆ…大さじ1
ごま油…大さじ1
豆板醤…大さじ½
砂糖…小さじ2と½
酢…小さじ2
白いりごま…小さじ2
にんにく（すりおろし）
…小さじ½

下ごしらえ

長ねぎ»みじん切り
A»混ぜ合わせる

20min

作り方

①きゅうりは割り箸2本で挟み、両面に包丁で斜めに細かく切れ目を入れて5㎝幅に切る。

②水を張ったボウルに塩を加え、①を10分漬けたら取り出し、水気を拭き取る。

③密閉保存袋に②とAを入れてよく揉み込み、冷蔵庫で漬ける。

Memo

■きゅうりはじゃばら切りにすることで、短時間で味が染み込みやすくなります。
■割り箸できゅうりを挟むと、じゃばらに切りやすくなります。

@macaroni_news　豆板醤のピリリとした辛みときゅうりの食感がクセになります。

06/18

肉団子甘酢あんかけ

#お弁当　#ご飯がすすむ

材料（3～4人分）

豚ひき肉…300g
塩…小さじ¼
玉ねぎ…¼個（50g）
パン粉…大さじ2
片栗粉…大さじ1
A 砂糖…小さじ1
　しょうが（すりおろし）…小さじ1
揚げ油…適量

〈甘酢あん〉
水…100㎖
トマトケチャップ…大さじ3
砂糖・酢…大さじ3
しょうゆ・みりん…各大さじ1
水溶き片栗粉（片栗粉…大さじ½・水…大さじ1）

肉
フライパン

下ごしらえ

玉ねぎ》みじん切り

作り方

① ボウルにひき肉と塩を入れて粘り気が出るまでこねる。玉ねぎ、Aを加えてさらにこね、10～15等分にして丸める。

② フライパンに1㎝深さの揚げ油を180℃に熱し、①を並べ入れる。全体が色づくまで揚げ焼きにして、取り出す。

③ 別のフライパンに甘酢あんの水溶き片栗粉以外の材料を入れて強火で加熱する。ひと煮立ちしたら火を弱めて、水溶き片栗粉を加える。②を入れて全体に絡める。

@macaroni_news　肉だねにパン粉を入れて、柔らかくジューシーに仕上げます。

06/19

大葉のピリ辛しょうゆ漬け

#ご飯のおとも　#加熱なし　#作りおき★

材料（2～3人分）

大葉…15枚
長ねぎ…¼本
しょうゆ…大さじ3
みりん…大さじ1
A 白いりごま…大さじ1
　ごま油…大さじ1
　砂糖…大さじ½
　コチュジャン…大さじ½
　にんにく（すりおろし）…小さじ1
　しょうが（すりおろし）…小さじ1
　一味とうがらし…小さじ½

野菜
なし

下ごしらえ

大葉》軸を落とす
長ねぎ》みじん切り
みりん》電子レンジ600Wで30秒加熱する
A》混ぜ合わせる

作り方

① 大葉1枚ずつにAを絡ませながら保存容器に重ね入れていく。

② ラップを密着させて冷蔵庫で半日～1日漬ける。

Memo
■ラップを密着させることで、大葉と調味液が密着し、味がなじみやすくなります。

@macaroni_news　ご飯にもよく合いますが、お好みで豆腐にのせてもおいしい。

06/20

ズッキーニのマリネ

#材料ひとつだけ　#スピード副菜　#おつまみ

野菜　フライパン

10min

材料（2〜3人分）

ズッキーニ…2本
オリーブオイル…大さじ1
A
砂糖…小さじ2
レモン果汁…小さじ2
塩…少々
黒こしょう…少々
オリーブオイル…大さじ1

下ごしらえ

ズッキーニ》7㎜厚さの輪切り
A》混ぜ合わせる

作り方

① フライパンにオリーブオイルを熱し、ズッキーニを加えて油を絡めるように両面焼き色がつくまで炒める。
② ボウルにAと①を入れてあえる。粗熱を取り、冷蔵庫で1時間ほど漬ける。

Memo
■オリーブオイルはエクストラバージンオリーブオイルを使用するのがおすすめです。
■できたてもおいしいですが、時間をおくと味がなじんでよりおいしくなります。

@macaroni_news　すっきりとした味わいで、おつまみにもぴったり！

06/21

サバ缶で下味いらずの竜田揚げ

#材料ひとつだけ　#おつまみ

魚　フライパン

10min

材料（2人分）

サバ缶（水煮）…2缶
片栗粉…適量
揚げ油…適量

作り方

① サバは缶詰から取り出し、キッチンペーパーで水気を拭き取り、半分に切ったら、両面に片栗粉をまぶす。
② フライパンに揚げ油を170℃に熱し、3〜4分揚げる。お好みでレモンやしょうゆをかける。

Memo
■サバのみそ煮缶で作ってもおいしく仕上がります。
■サバ缶は骨ごと食べられるので、そのままお召し上がりください。

@macaroni_news　缶詰を使うから、下処理なしで簡単に作れる！

06/22

湯通しキャベツのしらすナムル

#スピード副菜 #簡単レシピ #おつまみ

野菜
なし

材料（2人分）

キャベツ…1/4個
しらす干し…40g
A ごま油…大さじ1
　鶏ガラスープの素…小さじ1
　塩・こしょう…各少々

下ごしらえ

キャベツ≫せん切り

作り方

① ザルを重ねたボウルにキャベツを入れ、熱湯（分量外）をまんべんなく回しかけたら、水気をしっかり切る。
② ボウルに①、しらす、Aを加えて混ぜ合わせる。お好みで青ねぎをちらす。

Memo
■キャベツは湯通ししてザルに上げた後、キッチンペーパーでさらに水気をしっかり絞ると、調味料の味がなじみやすくなります。
■しらすの塩分によって味が変わるので、塩・こしょうの量をお好みで調節してください。

@macaroni_news キャベツは熱湯をかけて火を通します。

06/23

肉巻きオクラの照り焼き

#作りおき★ #お弁当 #おつまみ

野菜
フライパン

材料（2～3人分）

オクラ…8本
塩…少々
豚ロース肉（薄切り）
　…8枚（200g）
塩・こしょう…各少々
薄力粉…適量
A みりん…大さじ2
　砂糖…大さじ1
　しょうゆ…大さじ1
　しょうが（すりおろし）
　…小さじ1
サラダ油…大さじ1

下ごしらえ

オクラ≫ネットごと塩揉みし、水で洗い水気を拭き取り、ヘタの先を切り落としてガクを取り除く

作り方

① 豚肉を広げ、塩・こしょうで下味をつけたら、手前にオクラを1本のせて巻き、全体に薄力粉をまぶす。
② フライパンにサラダ油を熱し、①の巻き終わりを下にして並べ入れ、全体に焼き色をつける。
③ 火が通ったらAを加え、強火で煮絡める。

Memo
■時間がない場合は、電子レンジ加熱でも作れます。

@macaroni_news しっかりした味でさめてもおいしく、お弁当にもおすすめ。

06/24

鶏むね肉のオニオンポン酢ソテー

#ヘルシー　#ご飯がすすむ

30min

フライパン　肉

材料（2人分）

鶏むね肉…1枚（350g）
砂糖…小さじ½
酒…大さじ1
塩…小さじ¼
こしょう…少々
片栗粉…適量
サラダ油…大さじ1

A
玉ねぎ…½個
ポン酢しょうゆ…大さじ3
みりん…小さじ2
めんつゆ（3倍濃縮）…小さじ½
にんにく（すりおろし）…小さじ¼

下ごしらえ

鶏むね肉》観音開きにし、2等分に切る
玉ねぎ》すりおろす

作り方

① 鶏肉は砂糖、酒、塩、こしょうの順に揉み込み、片栗粉をまぶす。
② フライパンにサラダ油を熱し、①を焼く。片面に焼き色がついたら裏返し、ふたをして弱火で3～4分蒸し焼きにする。取り出して、食べやすい大きさに切る。
③ フライパンをきれいにして、Aを入れて煮立たせる。
④ 器に盛った②に③をかける。お好みでベビーリーフやレモンを添える。

Memo

- 鶏肉の厚みを均一にすると、火の通りも一定になります。
- 鶏もも肉で作ってもおいしいです。

@macaroni_news　玉ねぎを使ったソースはうまみとコクがたっぷり！

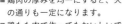

06/25

ころころはんぺんボール

#包丁いらず #お弁当 #おやつにも

その他
フライパン

材料（2〜3人人分）

はんぺん…2枚
ハム…2枚
コーン缶…30g
冷凍枝豆（むき身）…30g
マヨネーズ…大さじ2
塩・こしょう…各少々
片栗粉…大さじ2
サラダ油…大さじ1と$\frac{1}{2}$

下ごしらえ

枝豆≫流水解凍し、さやから豆を取り出す

作り方

①密閉保存袋にはんぺん、マヨネーズ、塩・こしょうを入れて、はんぺんをつぶしながらよく揉み込む。
②①にハムを小さくちぎり入れる。コーン缶、枝豆、片栗粉を加え、さらによく揉んで混ぜ合わせる。
③②をスプーン1杯分くらい手に取って丸め、表面にまんべんなく片栗粉（分量外）をまぶす。
④フライパンにサラダ油を熱し、③を並べ入れる。転がしながら焼き、全体に焼き色をつける。

Memo
■丸めるときに手に薄くサラダ油を塗ると丸めやすくなります。

@macaroni_news はんぺんと枝豆・コーン・ハムでカラフルにかわいく仕上げました。

06/26

大葉香るささみチーズつくね

#お弁当 #おつまみ #作りおき★

肉
フライパン

材料（3人分）

鶏ささみ…5本
大葉…4枚
プロセスチーズ…4個
A マヨネーズ…大さじ1
A 酒…大さじ1
A 片栗粉…大さじ1
A 塩・こしょう…各少々
サラダ油…大さじ1
水…大さじ1

下ごしらえ

鶏ささみ≫筋を取り除き、細切り
大葉≫せん切り
プロセスチーズ≫1cm角に切る

作り方

①ボウルにささみ、大葉、プロセスチーズ、Aを加えて混ぜ合わせる。
②フライパンにサラダ油を熱し、スプーンで$\frac{1}{8}$量ずつすくい、丸く成形した①を入れて焼く。両面に焼き色がついたら水を加え、ふたをして5分蒸し焼きにする。

Memo
■大葉を梅肉や刻みのりなどにアレンジしても。

@macaroni_news チーズが入っていて味がしっかりしているので、お弁当にぴったり。

⏱10min

06/27

ちくわときゅうりのごま酢あえ

#スピード副菜　#加熱なし　#簡単レシピ

野菜

なし

材料（2人分）

ちくわ…2本
きゅうり…1本
塩…少々
A
- 白すりごま…大さじ2
- 酢…大さじ1
- めんつゆ（3倍濃縮）…大さじ1/2
- 砂糖…小さじ1

下ごしらえ

ちくわ≫2〜3mm幅の輪切り
きゅうり≫縦2等分にし、斜め薄切り

作り方

① ボウルにきゅうりを入れ、塩をまぶして5分ほど置き、水気を絞る。
② ボウルにきゅうり、ちくわ、Aを入れてあえる。

Memo
■きゅうりの水気はしっかり絞ってください。

@macaroni_news　ごまの風味とちくわのうまみがおいしい！

⏱20min

06/28

ジューシーえびニラまんじゅう

#中華風　#おもてなし　#おつまみ

魚

フライパン

材料（3〜4人分）

豚ひき肉…150g
むきえび…100g
ニラ…1束（100g）
玉ねぎ…1/2個
A
- にんにく（すりおろし）…1/2かけ
- しょうが（すりおろし）…1/2かけ
- 片栗粉…大さじ1
- 鶏ガラスープの素…大さじ1/2
- オイスターソース…小さじ1
- しょうゆ・酒…各小さじ1
- 塩・こしょう…各少々

餃子の皮…20枚
熱湯…50mℓ
ごま油…大さじ1

下ごしらえ

むきえび≫1cmの粗みじん切り
ニラ、玉ねぎ≫みじん切り

作り方

① ボウルにひき肉、むきえび、ニラ、玉ねぎ、Aを入れて粘りが出るまでよくこねる。
② 餃子の皮の中心に①のたねを置き、皮のふちに水をつけ、中央を残しふちをつまんで10個ほどひだを作りながら包む。
③ フライパンにサラダ油（分量外）を熱し、②のひだがある面を下にして焼く。焼き色がついたら裏返し、熱湯を入れ、ふたをして3分蒸し焼きにする。
④ ふたを開けて強火にして水分を飛ばし、ごま油を回し入れ、焼き色をつける。

@macaroni_news　肉だねの中心を皮よりもへこませると皮がきれいに焼き上がります。

06/29

ふっくら豚こま肉のしょうが焼き

#下味冷凍　#作りおき　#ご飯がすすむ

肉
フライパン

10min

材料（4人分）

豚こま肉…500g
玉ねぎ…1個
しょうが（すりおろし）…2かけ分
A しょうゆ…大さじ3
A 酒…大さじ3
A みりん…大さじ2
A 砂糖…大さじ½
水…大さじ1
ごま油…大さじ½

下ごしらえ

玉ねぎ≫繊維に沿って7mm厚さの薄切り

作り方

① 密閉保存袋に豚肉、玉ねぎ、しょうが、Aを入れてよく揉み込む。空気を抜きながら平らにして袋をとじ、半分に折って冷凍庫で保存する。

Memo

■冷凍の状態で2週間保存が可能です。
■食べるときは、フライパンに半量と水大さじ1を入れ、ふたをして3分蒸し焼きにします。ふたをあけてほぐし、ごま油を加え、水分がなくなるまで炒めてください。

@macaroni_news　しっかり漬け込むことで、豚肉に味が染み込みます。

06/30

じゃばらきゅうりの浅漬け

#加熱なし　#ほったらかし　#作りおき

野菜
なし

20min

材料（2～3人分）

きゅうり…2本
水…350mℓ
塩…大さじ½
A しょうが…1かけ
A 水…大さじ4
A 白だし（10倍濃縮）…大さじ2
A 砂糖…小さじ1
A 赤とうがらし（輪切り）…1本分

下ごしらえ

しょうが≫せん切り

作り方

① きゅうりはねぎカッターなどで全面に切れ目を入れ、それぞれ5等分に切る。
② ボウルに水と塩を入れ、①の切れ目を開くようにして10分漬けたら取り出し、水気を拭き取る。
③ 密閉保存袋に②とAを入れて揉み込み、冷蔵庫で半日ほど漬け込む。

Memo

■細めのきゅうりを使用すると、切れ目を入れたときにじゃばらになりやすいです。

@macaroni_news　白だしで簡単に作れる浅漬けレシピです。

Column 4

ゆで卵のベストおかず
ラクラク卵レシピ Part 2

卵をゆでて、調味料と一緒に密閉保存袋に入れて置いておくだけで完成！
おつまみにもご飯にもぴったりの卵レシピです。

ヤンニョム煮卵

1. 鍋に水を入れ沸騰させ、冷蔵庫から出したての冷たい卵6個をおたまでそっと入れ、中火で6分30秒加熱する。
2. しょうゆ小さじ2、コチュジャン小さじ2、はちみつ小さじ1、すりおろしにんにく小さじ1/2、ごま油小さじ1を混ぜ合わせる。
3. 卵を冷水に取って冷やし、殻をむいて水気を拭き取る。密閉保存袋に入れ、②を加えてなじませる。
4. 空気を抜いて袋の口をとじ、冷蔵庫で半日〜1日漬ける。冷蔵で2〜3日保存可能。

旨塩味玉

1. 鍋に水を入れ沸騰させ、冷蔵庫から出したての冷たい卵6個をおたまでそっと入れ、中火で6分30秒加熱する。
2. 卵を冷水に取って冷やし、殻をむいて水気を拭き取り密閉保存袋に入れる。
3. ②に砂糖小さじ2、塩小さじ1/2、みりん大さじ2、白だし60mℓ、水60mℓを入れて軽くなじませる。
4. 空気を抜いて袋の口をとじ、冷蔵庫で半日〜1日漬ける。冷蔵で2〜3日保存可能。

07/01

なすみそ炒め

#材料ひとつだけ　#基本のレシピ　#ご飯がすすむ

野菜　フライパン

20min

材料（2～3人分）

なす…2本
A 砂糖…大さじ1
みそ…大さじ1
酒…大さじ1
みりん…大さじ1
しょうゆ…小さじ1
しょうが（すりおろし）…小さじ1
サラダ油…大さじ2

下ごしらえ

なす≫乱切りにして水に5分さらし、水気を拭き取る
A≫混ぜ合わせる

作り方

① フライパンにサラダ油を熱し、なすを炒める。
② Aを入れて煮絡め、お好みで青ねぎをちらす。

Memo
■多めの油を使って、なすに油を吸わせるように炒めるとおいしくなります。
■お好みで仕上げにラー油をかけてもおいしいです。

@macaroni_news　こってりみそだれととろとろのなすの組み合わせにやみつきです。

07/02

きゅうりのしそ巻き漬け

#作りおき　#ご飯がすすむ　#加熱なし

野菜　なし

10min

材料（3～4人分）

きゅうり…2本
大葉…24枚
しょうが…1かけ
塩昆布…5g
A 白だし（10倍濃縮）…80㎖
赤とうがらし（輪切り）…1本分
酢…大さじ1
ごま油…小さじ1
砂糖…大さじ½

下ごしらえ

きゅうり≫長さを3等分にし、縦4等分に切る
しょうが≫皮をむき、せん切り
A≫混ぜ合わせる

作り方

① きゅうりに大葉を巻き、保存容器に巻き終わりを下にして並べ入れる。
② Aを流し入れ、しょうがと塩昆布を加え、半日漬ける。

Memo
■大葉の巻き終わりを下にして、隙間ができないように容器に入れてください。
■重しをのせて漬けるとよりしっかり漬けることができます。

@macaroni_news　きゅうりを大葉で巻いて漬けるだけ！

07/03

鶏むね肉の梅しそ棒餃子

#おつまみ　#お弁当

20min

フライパン　肉

材料（3人分）

鶏むね肉…1枚
A
マヨネーズ…大さじ½
酒…大さじ½
砂糖…小さじ½
塩…少々
梅干し…5粒
大葉…18〜20枚
餃子の皮…18〜20枚
サラダ油…大さじ1

下ごしらえ

鶏むね肉»1cm厚さのそぎ切りにし、1cm幅の棒状に切る
梅干し»種を除き、包丁でたたく

作り方

① ボウルに鶏肉とAを入れて揉み込み、5分置く。
② 餃子の皮の中央に、大葉、梅干し、①をのせ上下を折りたたむように巻く。
③ フライパンにサラダ油を熱し、②の巻き終わりを上にして並べ入れ、弱火で焼く。
④ 片面に焼き色がついたら裏返してふたをし、3〜4分蒸し焼きにする。

Memo

■加熱時間は目安です。鶏肉に火が通るまでしっかり加熱してくださいね。

@macaroni_news　さわやかな大葉と梅の味わいは鶏むね肉との相性ばつぐんです。

07/04

にんじんしりしり

#作りおき　#お弁当　#簡単レシピ

10min

材料（3～4人分）

にんじん…1本
ツナ缶…1缶（70g）
卵…1個
和風だしの素…小さじ1と1/2
塩…少々
ごま油…大さじ1

下ごしらえ

にんじん≫せん切り
ツナ缶≫汁気を切る

作り方

①フライパンにごま油を熱し、にんじんを炒める。
②にんじんがしんなりしたら、ツナ缶とだしの素を加え、さらに炒める。
③溶きほぐした卵を回し入れ、全体を炒めたら塩で味をととのえる。

Memo
■卵を入れてからは、まとめるように混ぜ合わせると卵とにんじんがよく絡みます。

野菜
フライパン

@macaroni_news　常備菜にも、お弁当のおかずにもぴったり。

07/05

とうもろこしのバターしょうゆ唐揚げ

#材料ひとつだけ　#おつまみ　#お弁当

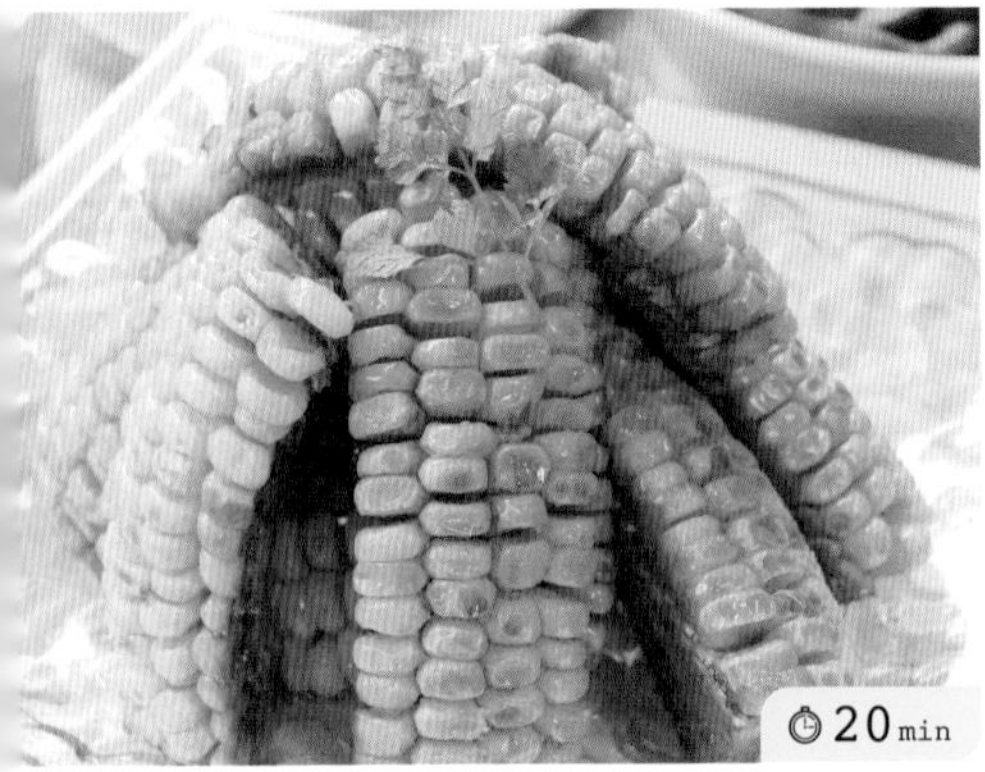

20min

材料（2人分）

とうもろこし…1本
片栗粉…適量
揚げ油…適量
しょうゆ…大さじ2
砂糖…小さじ2
バター…15g

下ごしらえ

とうもろこし≫皮のまま根元を2cm切り落とす

作り方

①とうもろこしは、ラップをかけずに電子レンジ600Wで3分加熱し、切り口を下にして、両手でヒゲを握って皮を引き上げ、中身を取り出す。
②長さを2等分したら、立てて芯ごと縦に4等分し、片栗粉をまぶす。
③揚げ油を170℃に熱し、②を3～5分揚げる。
④フライパンにバターを熱し、しょうゆ、砂糖、③を入れて煮絡める。

Memo
■とうもろこしは揚げ時間が長すぎると、実がはじけて油はねする場合があるので注意してください。

野菜
フライパン

@macaroni_news　とうもろこしの芯からもジュワーっとおいしさがあふれ出します。

07/06

まるごとトマトのめんつゆ漬け

#ほったらかし　#簡単レシピ　#ヘルシー

野菜　鍋

材料（2人分）

トマト…2個
大葉…2枚
めんつゆ（3倍濃縮）…50㎖
A 水…50㎖
　はちみつ…大さじ1

下ごしらえ

トマト≫ヘタをくり抜く
大葉≫せん切り
A≫混ぜ合わせる

作り方

① 鍋に湯を沸かし、トマトを入れて30秒ゆで、冷水にさらす。トマトの皮をむいて保存容器に入れる。
② ①にAを注ぎ入れてひと晩寝かせる。仕上げに大葉をのせる。

Memo
■トマトはヘタをくり抜くと、きれいに湯むきできます。

@macaroni_news　トマトまるごとを漬け込んだぜいたくな一品です。

07/07

甘辛スティックチキン

#材料ひとつだけ　#がっつりメニュー　#おやつにも

肉　フライパン

材料（2～3人分）

鶏むね肉…1枚
砂糖…小さじ1
A 塩…ひとつまみ
　粗びき黒こしょう…小さじ$\frac{1}{3}$
　ガーリックパウダー…小さじ$\frac{1}{4}$
片栗粉…適量
B 酒…大さじ3
　しょうゆ…大さじ2
　みりん…大さじ2
　はちみつ…大さじ1
揚げ油…適量
白いりごま…大さじ1

下ごしらえ

鶏むね肉≫スティック状に切る

作り方

① ボウルに鶏肉と砂糖を入れて揉み、Aを加えてさらに揉み込み、全体に片栗粉をまぶす。
② フライパンに1～2㎝深さの揚げ油を熱し、①を揚げ焼きにする。
③ フライパンをきれいにして、Bを煮立たせたら②を戻し入れ、絡める。仕上げに白ごまをふり、お好みで黒こしょうをふる。

Memo
■粗びき黒こしょうは多めに入れるとおいしいです。

@macaroni_news　黒こしょうたっぷりで名古屋の手羽先風の味つけに。

⏱20min

07/08

サンラー水餃子

#中華風　#がっつりメニュー

鍋　肉

材料（2人分）

豚ひき肉…150g
─A─
しょうが（すりおろし）…小さじ1
酒…小さじ1
塩・こしょう…各少々
餃子の皮…10枚
にんじん…30g
しいたけ…2枚
長ねぎ…20g
しょうが（すりおろし）…小さじ1
水…400㎖
鶏ガラスープの素…小さじ1
─B─
しょうゆ…小さじ2
砂糖…小さじ½
水溶き片栗粉…大さじ1
（片栗粉…小さじ1
水…小さじ2）
卵…1個
サラダ油…小さじ1
酢…大さじ1
ラー油…小さじ1

下ごしらえ

にんじん≫短冊切り
しいたけ≫薄切り
長ねぎ≫5mm幅の斜め切り

作り方

①ボウルにひき肉とAを入れてこねる。
②餃子の皮に①をのせてふちに水をつけて半分に折りたたんだら、両端を合わせてとめる。
③鍋にサラダ油を熱し、にんじんとしょうがを入れて炒める。水、鶏ガラスープの素を加えて沸いたら、②を加えふたをして2分加熱する。
④しいたけ、長ねぎ、Bを加え、再びふたをして2分加熱する。
⑤火を弱め、水溶き片栗粉を加え、とろみがついたら溶きほぐした卵を加え、酢とラー油を加える。

Memo
■酢とラー油の分量はお好みで調整してください。

@macaroni_news　サンラータンスープにシンプルな餃子を入れて煮込みます。

07/09

大葉香る鶏肉とゴーヤの旨塩炒め

#ご飯がすすむ　#おつまみ　#お弁当

肉　フライパン

20min

材料（2人分）

鶏もも肉…1枚（300g）
ゴーヤ…1本（250g）
大葉…10枚
塩・こしょう…少々
A
- 酒…大さじ1
- 鶏ガラスープの素…小さじ1と½
- 塩…小さじ⅓

ごま油…大さじ1
白いりごま…適量

下ごしらえ

鶏もも肉》小さめの一口大に切る
ゴーヤ》縦半分に切り、ワタをこそげ取り、3mm幅に切る
大葉》せん切り

作り方

① 鶏肉は塩・こしょうをふる。ゴーヤは塩小さじ1（分量外）をふって軽くなじませ、10分置き、しんなりしたら水洗いして水気を絞る。

② フライパンにごま油を熱し、鶏肉を炒める。色が変わったら、ゴーヤを加える。ゴーヤに油が回ったらAを加え、汁気がなくなるまで強火で炒める。火を止めて大葉を加えて混ぜ合わせ、白ごまをふる。

Memo

■ゴーヤは塩を揉み込みすぎると苦味が増すので、手で軽く混ぜ、なじませる程度にしてください。

@macaroni_news　味つけは鶏ガラスープの素と塩でシンプルに。

07/10

オニオントマトポークソテー

#ご飯がすすむ　#がっつりメニュー

肉　フライパン

20min

材料（2人分）

豚ロース肉（とんかつ用）…2枚
玉ねぎ…½個
トマト…½個
塩・こしょう…各少々
A
- しょうゆ…大さじ1と½
- はちみつ…大さじ1
- 酒…大さじ1
- 砂糖…小さじ1
- にんにく（すりおろし）…小さじ1

サラダ油…大さじ1

下ごしらえ

豚ロース肉》筋切りをして、包丁の背で軽くたたく
玉ねぎ》すりおろす
トマト》角切り

作り方

① 豚肉に塩・こしょうをふり密閉保存袋に入れ、玉ねぎを加えて揉み込み、冷蔵庫で20分漬ける。

② フライパンにサラダ油を熱し、①を両面に焼き目がつくまで焼く。

③ 袋に残った玉ねぎ、トマト、Aを加えて煮詰める。

Memo

■玉ねぎは薄切りにしてもよいですが、すりおろすことで、より肉が柔らかく仕上がります。

@macaroni_news　おろし玉ねぎを揉み込んで、ジューシーなポークソテーに。

07/11

甘酢マヨチキン

#材料ひとつだけ　#お弁当　#ご飯がすすむ

肉
フライパン

20min

材料（2～3人分）

鶏むね肉…1枚（300g）
マヨネーズ…大さじ1
酒…小さじ2
塩・こしょう…各少々
片栗粉…大さじ2
A
砂糖…大さじ1
酢…大さじ1
しょうゆ…大さじ1
みりん…大さじ1
サラダ油…小さじ2

下ごしらえ

鶏むね肉≫そぎ切り

作り方

① ボウルに鶏肉、マヨネーズ、酒、塩・こしょうを入れて混ぜ合わせ、10分ほど置いたら、片栗粉をまぶす。
② フライパンにサラダ油を熱し、①を並べ入れ焼く。焼き色がついたら裏返し、ふたをして3分蒸し焼きにする。
③ Aを加えて煮絡め、お好みでマヨネーズをかける。

Memo
■マヨネーズで下味をつけることでパサつかずにしっとりと仕上がります。

@macaroni_news　鶏もも肉やささみで作ってもおいしく作れます。

07/12

たたききゅうりの梅みそみょうがあえ

#加熱なし　#おつまみ　#ご飯がすすむ

野菜
なし

30min

材料（2～3人分）

きゅうり…2本
みょうが…3本
しょうが…10g
塩…小さじ1/3
白いりごま…大さじ1
A
梅肉…2個分
ごま油…大さじ1
みそ…小さじ2
砂糖…小さじ1

下ごしらえ

きゅうり≫板ずりしてめん棒などでたたき、食べやすい大きさにちぎる
みょうが≫縦半分に切り、斜め薄切り
しょうが≫皮をむき、せん切り

作り方

① ボウルにきゅうりと塩を入れてよく揉み込み、10分置く。しんなりしたら水気を絞る。
② 別のボウルに①、みょうが、しょうが、白ごま、Aを加えて混ぜ合わせる。

Memo
■少し置くと、味がなじんでさらにおいしくなります

@macaroni_news　梅の量を増やしたり、減らしたりしてもOKです。

07/13

長いもの しそ巻き照り焼き

#お弁当　#おつまみ　#ご飯がすすむ

野菜　フライパン

20min

材料（2人分）

長いも…250g
大葉…10枚
片栗粉…大さじ1/2
A 梅干し…1個
しょうゆ…大さじ1
酒…大さじ1
みりん…大さじ1
サラダ油…大さじ1
白いりごま…小さじ1/2

下ごしらえ

長いも》1cm厚さの輪切り
梅干し》種を除き、包丁でたたく
A》混ぜ合わせる

作り方

①長いもは表面に片栗粉をまぶし、大葉を貼りつける。
②フライパンにサラダ油を熱し、①を並べ入れて両面を焼く。
③②にAを加え、全体に絡める。仕上げに白ごまをふる。

Memo
■大葉ははがれないよう、しっかりとおさえつけるように貼りつけてください。

@macaroni_news 甘辛いたれに梅を入れて、さっぱりとした仕上がりに。

07/14

揚げない 枝豆チーズ春巻き

#おつまみ　#お弁当　#おやつにも

野菜　トースター

20min

材料（2〜3人分）

枝豆（むき身）…20g
スライスチーズ…4枚
コーン缶…30g
春巻きの皮…5枚
水溶き薄力粉…大さじ1
（薄力粉・水…各大さじ1）
オリーブオイル…適量

下ごしらえ

スライスチーズ》1cm幅に切る
春巻きの皮》2等分に切る

作り方

①春巻きの皮を、長辺を手前にして置き、手前から1cmのところにチーズ2切れを横に並べ、その上に枝豆とコーンを交互にのせる。
②水溶き薄力粉を手前を除く3辺のふちにぬり、手前からきつく巻き、巻き終わりと両端をしっかり押さえる。
③アルミホイルを敷いた天板に②を並べ、表面にオリーブオイルを塗り、トースターで10分焼く。お好みでレモンを添え、塩をふる。

Memo
■トースターではなく油で揚げても。パリッとした食感に仕上がります。

@macaroni_news 春巻きの皮で枝豆、チーズ、コーンを巻いて焼くだけ！

07/15

ゴーヤのピリ辛漬け

#作りおき　#ご飯のおとも　#おつまみ

15min

材料（2～3人分）

ゴーヤ…1本（200g）
削り節…3g
赤とうがらし（輪切り）…1本分
A
水…50mℓ
めんつゆ（3倍濃縮）…大さじ3
ポン酢しょうゆ…大さじ2

下ごしらえ

ゴーヤ≫縦半分に切り、ワタをこそげ取り、薄切り
A≫混ぜ合わせる

作り方

① 鍋に湯を沸かし、ゴーヤを1分ほどゆで、しっかりと水気を切る。
② 保存容器に、削り節、赤とうがらし、①の順に重ねて入れたら、Aを注ぎ入れる。冷蔵庫でひと晩ほど漬け込む。

Memo
■ゴーヤはワタをしっかりと取り除くことで、苦味を抑えることができます。

野菜　鍋

@macaroni_news　ゴーヤの独特の苦味とピリ辛な味つけが後を引くおいしさ。

07/16

ふわふわ卵のニラ玉炒め

#節約レシピ　#スピード副菜　#ご飯がすすむ

20min

材料（2～3人分）

ニラ…1束
卵…3個
しょうゆ…小さじ1
塩・こしょう…各少々
ごま油…大さじ2

下ごしらえ

ニラ≫3cm長さに切り、葉と茎に分ける

作り方

① ボウルに卵を割りほぐし、しょうゆ、塩・こしょうを入れて混ぜ合わせる。
② フライパンにごま油大さじ1を熱し、①を流し入れる。周りがふつふつとしてきたら大きくかき混ぜ、半熟のうちに火を止める。
③ 別のフライパンにごま油大さじ1を熱し、ニラの茎の部分を炒める。しんなりしてきたら葉を加えて炒め、②を加え、軽く混ぜ合わせる。

Memo
■卵は熱いフライパンに入れて一気にかき混ぜて半熟で取り出すことで、ふわふわに仕上がります。
■お好みでもやしを入れるとボリュームアップになります。

野菜　フライパン

@macaroni_news　材料5つのシンプルレシピですが、ごま油の香りに食欲をそそられます。

07/17

鶏肉ともやしのバンバンジーサラダ

#ヘルシー　#中華風　#おつまみ　#作りおき★

15min

レンジ　肉

材料（4人分）

鶏むね肉…1枚（250g）
もやし…2袋（400g）
さやいんげん…6本（40g）
砂糖…小さじ½
塩…小さじ½
酒…大さじ1
A
白すりごま…大さじ3
マヨネーズ…大さじ3
砂糖…小さじ2
しょうゆ…小さじ2
豆板醤…小さじ1

作り方

① 耐熱容器に鶏肉を入れ、フォークで数か所穴をあけたら砂糖と塩を揉み込む。酒をふり、ふんわりとラップをかけて電子レンジ600Wで2分加熱する。裏返したら再びラップをかけて1分加熱する。そのまま10分置き、余熱で火を通す。

② もやしは耐熱容器に入れ、ふんわりとラップをかけて電子レンジ600Wで3分、いんげんは40秒でそれぞれ加熱し、水気を拭き取る。

③ ボウルに粗熱を取った①をほぐし入れ、もやし、いんげん、Aを加えてよくあえる。

Memo

■鶏むね肉は加熱時間を極力抑えて余熱で火を通すことで、しっとり柔らかな食感になります。

@macaroni_news そのまま食べても、うどんにあえて食べてもおいしい。

07/18

なんちゃってえびフライ

#お弁当　#節約レシピ　#おつまみ

材料（2〜3人分）

かに風味かまぼこ…8本
じゃがいも…400g
マヨネーズ…大さじ4
塩・こしょう…各少々
薄力粉…適量
溶き卵…1個分
パン粉…適量
揚げ油…適量

下ごしらえ

じゃがいも》一口大に切る

作り方

① 耐熱ボウルにじゃがいもを入れ、ふんわりとラップをかけて電子レンジ600Wで6分30秒加熱し、熱いうちにつぶす。マヨネーズ、塩・こしょうを加え混ぜ合わせ、粗熱を取り、8等分にする。
② かにかまの先端を1・5cmほど残して、えびフライの形になるように①で包む。残したかにかまの先端をさく。
③ 薄力粉、溶き卵、パン粉の順に衣をつける。
④ フライパンに2cm深さの揚げ油を170℃に熱し、きつね色になるまで揚げ焼きにする。お好みでタルタルソースを添える。

Memo
■マヨネーズを加えることで、しっとりして成形しやすく。量はじゃがいもに合わせて調節を。

その他　フライパン

@macaroni_news　かにかまの先端をさいて、えびの尻尾に見立てています。

07/19

とうもろこしと大葉のかき揚げ

#おつまみ　#作りおき　#お弁当

材料（2〜3人分）

とうもろこし…1本
大葉…12枚
天ぷら粉…大さじ3
水…大さじ1
塩…少々
粗びき黒こしょう…少々
揚げ油…適量

作り方

① とうもろこしの芯と実の間に包丁を入れて実をそぎ落とす。
② ボウルに①の実を入れ、天ぷら粉、水、塩、粗びき黒こしょうを加えて混ぜ合わせ、大葉の上にのせる。
③ フライパンに2cm深さの揚げ油を170℃に熱し、②を入れる。ときどき上下を返しながら、両面に色がついてカリッとするまで揚げる。

Memo
■揚げながら上下を返す際は、崩れないようにやさしく裏返してくださいね。

野菜　フライパン

@macaroni_news　とうもろこしが大葉に包まれ、バラバラになりにくく。

07/20

無限きゅうりのナムル

#作りおき　#加熱なし　#簡単レシピ

野菜

なし

20min

材料（2人分）

きゅうり…2本
塩…小さじ¼
塩昆布…8g
にんにく（すりおろし）
…小さじ½
ごま油…小さじ2
酢…小さじ½
白いりごま…ひとつまみ

下ごしらえ

きゅうり≫縦に1本切れ目を入れ、両手で上からおさえつけ、割れ目からちぎる

作り方

① ボウルにきゅうりと塩を入れて揉み込み、10分置いたら水気を絞る。

② 別のボウルに①、塩昆布、にんにく、ごま油、酢を入れて混ぜ合わせ、味がなじむまで少し置く。仕上げに白ごまをふる。

Memo

- きゅうりに包丁で切り込みを入れると、めん棒を使わなくても、簡単に手で割ることができます。
- きゅうりはしっかりと水気を絞ることで、保存性が高まります。

@macaroni_news　夏の簡単副菜。塩昆布のうまみが食欲をそそります。

07/21

基本のなすの煮浸し

#材料ひとつだけ　#基本のレシピ　#和風

野菜

フライパン

20min

材料（2人分）

なす…2本
A
水…100㎖
しょうゆ…大さじ1
みりん…大さじ1
砂糖…小さじ1
和風だしの素…小さじ1
ごま油…大さじ1

下ごしらえ

なす≫縦4等分に切り、皮に5㎜幅の切り込みを入れる。水に5分さらし、水気を拭き取る

作り方

① フライパンにごま油を熱し、なすの皮目から並べ入れる。転がしながら全面を焼く。

② Aを入れて、3分ほど煮詰める。お好みで青ねぎをかける。

Memo

- 2〜3時間ほど置くと味がなじみます。
- 煮込む際にしょうがを入れるとアクセントになります。

@macaroni_news　ジューシーななすに甘辛いたれが染み込み、ご飯にぴったりな一品。

07/22

春雨の酢の物

#レンチン　#作りおき★

10 min

レンジ　その他

材料（2人分）

春雨…50g
きゅうり…1/2本（50g）
にんじん…20g
ハム（薄切り）…3枚
卵…1個
A 砂糖…大さじ3
A 酢…大さじ3
A 薄口しょうゆ…大さじ1と1/2
白いりごま…大さじ1
ごま油…大さじ1

下ごしらえ

きゅうり≫せん切り
にんじん≫せん切り
ハム≫2等分にしてから細切り
A≫混ぜ合わせる

作り方

① きゅうりとにんじんは、塩（分量外）をふって揉み込み、しんなりしたら水気を絞る。
② 卵を割りほぐし、ラップを敷いた耐熱の平らな器に流し入れる。ラップをかけずに電子レンジ600Wで1分30秒加熱し、粗熱を取って細切りし、錦糸卵にする。
③ 耐熱容器に春雨とかぶるくらいの水（分量外）を入れ、ふんわりとラップをかけて電子レンジ600Wで5分加熱する。取り出してザルに上げ、水気を切る。
④ ボウルに②、③、きゅうり、にんじん、ハム、Aを加え、よくあえる。

Memo
■きゅうりとにんじんは塩揉みすることで、味がなじみやすくなります。

@macaroni_news カラフルな具材と春雨を合わせたさっぱり味のデリ風おかずをレンチンで。

07/23

大葉の浅漬け

#ご飯のおとも　#ほったらかし　#加熱なし

10min

材料（2人分）

大葉…20枚
水…大さじ3
白だし（10倍濃縮）…大さじ1と½
砂糖…小さじ¼
赤とうがらし（輪切り）…½本分

下ごしらえ

大葉≫軸を落とす

作り方

① ボウルに水、白だし、砂糖、赤とうがらしを入れ、混ぜ合わせる。
② 保存容器に大葉を入れ、①をかける。
③ ラップを密着させ、冷蔵庫で1時間ほど漬ける。

Memo

■白だしはめんつゆでも代用できます。その際は、めんつゆ（3倍濃縮）大さじ1に対して、水大さじ3から様子を見て調節してください。

野菜

なし

@macaroni_news　大葉を使いきれないときにぴったりの簡単浅漬けレシピ。

07/24

まるでペペロンチーノなガーリック焼き枝豆

#おつまみ　#スピード副菜　#おもてなし

10min

材料（2人分）

枝豆（生）…160g
塩…小さじ1
にんにく…3かけ
赤とうがらし…2本
オリーブオイル…大さじ½

下ごしらえ

枝豆≫塩を揉み込み、5分置く
にんにく≫包丁の背でつぶし、縦半分に切る

作り方

① フライパンにオリーブオイルを熱し、にんにくと赤とうがらしを入れ、弱火でじっくり炒める。
② にんにくの香りが立ったら枝豆を入れ、両面に焼き色がつき、さやが少し開くまで炒める。

Memo

■枝豆はなるべく動かさず、焼き色がつくまでじっくり焼くとうまみが引き出せます。
■オリーブオイルの代わりにごま油を使うと、また違ったおいしさが楽しめます。

野菜

フライパン

@macaroni_news　新鮮な生の枝豆をフライパンでじっくり焼くだけ！

07/25

パプリカの塩昆布あえ

#レンチン　#お弁当　#スピード副菜

野菜　レンジ

10 min

材料（2人分）

パプリカ（赤・黄）…各1個
塩昆布…4g
ごま油…大さじ1
白いりごま…小さじ1

下ごしらえ

パプリカ≫縦4等分に切ってから、2㎝幅の細切り

作り方

① 耐熱ボウルにパプリカを入れ、ふんわりとラップをかけて電子レンジ600Wで3分30秒加熱する。
② 塩昆布、ごま油、白いりごまを加えて混ぜ合わせる。

Memo
■電子レンジ加熱後に出たパプリカの水分は、しっかり拭き取るのがポイントです。
■できたてもおいしいですが、冷蔵庫で冷やすことで味がなじんでさらにおいしくなります。

@macaroni_news パプリカをレンジでチンして、あえるだけ。おつまみにも！

07/26

ブロッコリーの唐揚げ

#お弁当　#おつまみ

野菜　フライパン

20 min

材料（2～3人分）

ブロッコリー…1個
卵…1個
しょうゆ…大さじ1
にんにく（すりおろし）…小さじ½
片栗粉…大さじ4
薄力粉…大さじ4
揚げ油…適量

下ごしらえ

ブロッコリー≫小房に分ける。茎は硬い部分を取り除き、乱切り

作り方

① ボウルに卵を溶きほぐし、しょうゆ、にんにくを加えて混ぜ合わせる。片栗粉、薄力粉を加えてさらに混ぜ合わせる。
② フライパンに揚げ油を170℃に熱し、①をくぐらせたブロッコリーをカリッとするまで揚げる。

Memo
■カレー粉を入れてアレンジするのもおすすめです。
■ブロッコリーの大きさに合わせて揚げ時間は調整してください。

@macaroni_news 濃いめの味つけで、ご飯にもお酒にもぴったりの一品。

10min

07/27

定番大根サラダ

#加熱なし　#おつまみ　#スピード副菜

野菜

なし

材料（2人分）

大根…1/4本（150g）
カイワレ菜…1パック
A
しょうゆ…大さじ1と1/2
酢…大さじ1
ごま油…大さじ1
砂糖…小さじ1/2
削り節…2g
刻みのり…適量

下ごしらえ

大根≫繊維に沿って5cm長さのせん切りにし、水にさらして水気を拭き取る
カイワレ菜≫根元を切り落とし、水にさらし、水気をしっかり切る

作り方

① ボウルにAを入れて混ぜ合わせ、大根とカイワレ菜を加えてあえる。仕上げに削り節と刻みのりをかける。

Memo

■大根は繊維に沿って切るとシャキシャキとした食感になります。
■大根の上の部分を使うと甘みのある大根サラダに仕上がります。

@macaroni_news 大根のシャキシャキ食感の秘密は、切り方にコツがあります！

5 min

07/28

カリカリベーコンのやみつきキャベツ

#おつまみ　#レンチン　#簡単レシピ

野菜

レンジ

材料（2〜3人分）

キャベツ…1/4個
ベーコン（薄切り）…50g
塩…小さじ1/2
A
にんにく（すりおろし）…1かけ分
ごま油…小さじ1
しょうゆ…小さじ1/2
和風だしの素…少々

下ごしらえ

キャベツ≫ざく切り
ベーコン≫1cm幅に切る

作り方

① ボウルにキャベツと塩を入れて揉み込む。
② 耐熱皿にキッチンペーパーを敷き、ベーコンが重ならないように並べ、ラップはかけずに電子レンジ600Wで2分加熱する。
③ ①に②とAを加えて混ぜ合わせる。お好みで白いりごまをふる。

Memo

■カリカリベーコンは電子レンジで作ると簡単です。天板の端に並べたものは火が通りにくいので、時間に余裕があるときは様子を見ながら追加で加熱してください。

@macaroni_news ごま油の風味と、カリカリベーコンのうまみがおいしい！

⏱15min

07/29

とろとろなすのわさびポン酢あえ

#作りおき★　#和風　#ご飯がすすむ

野菜
フライパン

材料（2～3人分）

なす…3本
長ねぎ…½本
A ポン酢しょうゆ…大さじ3
　わさび…小さじ2
　砂糖…小さじ1
揚げ油…適量

下ごしらえ

なす≫縦半分に切り、皮目に5㎜幅の切り込みを入れ、長さを3等分に切る
長ねぎ≫みじん切り

作り方

① フライパンに1㎝深さの揚げ油を170℃に熱し、なすを並べ入れる。両面を2～3分ずつ揚げ焼きにする。
② ボウルに長ねぎとAを入れてよく混ぜ、①を加えてあえる。

Memo
■なすが熱いうちに調味料とあえるとわさびの辛さが飛び、風味だけを楽しめます。

@macaroni_news　わさびの風味とさっぱりしたポン酢の相性がばつぐんです。

⏱20min

07/30

豚こまとじゃがいものガリバタしょうゆ炒め

#がっつりメニュー　#お弁当　#作りおき

肉
フライパン

材料（2～3人分）

豚こま肉…200g
じゃがいも…2個（200g）
にんにく（すりおろし）…小さじ½
しょうゆ…大さじ1と½
みりん…大さじ1
バター（有塩）…10g

下ごしらえ

じゃがいも≫一口大に切る

作り方

① 耐熱ボウルにじゃがいもを入れ、ふんわりとラップをかけて電子レンジ600Wで3分30秒～4分加熱する。
② フライパンにバターを熱し、にんにく、豚肉を入れて炒める。豚肉に焼き色がついたら①を加えてさらに炒める。
③ しょうゆ、みりんを加えて煮絡める。

Memo
■にんにくはみじん切りにしたものでも代用可能です。

@macaroni_news　にんにくとバターの香りが食欲をそそる、メインにぴったりのおかずです。

07/31

レンチン みそチャーシュー

#材料ひとつだけ　#おつまみ　#お弁当

肉　レンジ

30min

材料（2～3人分）

豚肩ロース肉（ブロック）…400g

A
- みそ…大さじ1
- めんつゆ（3倍濃縮）…大さじ2
- はちみつ…小さじ2
- しょうが…小さじ1/2

下ごしらえ

A≫混ぜ合わせる

作り方

① 耐熱容器に豚肉を入れ、全面にフォークで刺して穴をあけ、Aを塗り広げる。ラップを肉に密着させるようにかけて20分ほど漬ける。

② ラップをふんわりとかけて、電子レンジ600Wで3分30秒加熱し、一度レンジから取り出す。

③ 豚肉の上下を返して、ラップをかけずに電子レンジ600Wでさらに5分加熱する。もう一度上下を返し、ラップをかけて20分ほど置き、余熱で火を通す。食べやすい大きさに切り、お好みで白髪ねぎを添える。

Memo
- 加熱後に、しっかりと調味料を絡めてください。
- 様子を見て、加熱時間は調整してください。

@macaroni_news　火を使わず作るお手軽チャーシュー！　ご飯にのせてチャーシュー丼にしても。

Column 5

おいしいサラダ・あえものを作るコツ

おうちで作ったサラダやあえものを食べるとき、味が足りなくて塩やドレッシングを追加する、そんな経験をしたことはありませんか？ 食べた瞬間に「おいしい！」と思えるちょっとしたコツを紹介します。

水気をしっかり切る

サラダやあえものの味がぼやける最大の原因は「余分な水分」です。水気を拭き取る・絞る・取るなどの手順があるレシピでは、しっかりと水分を取り除きましょう。

味つけは食べる直前に

塩には水分を出すという効果があります。切り分けた野菜に塩分を含むドレッシングやたれをかけて、時間を置いておくと野菜から水分が出てきてしまい、味がぼやける原因に。

塩で水分を出しておく

漬けて味をなじませるレシピでは、事前に水分を除いておきます。野菜であれば塩揉みをしたり、豆腐であれば水切りをしたり、などの手順です。事前に水分を除いておけば、後から出てくる水分を減らせるだけでなく、味染みもよくなり一石二鳥です。

08/01

ピリ辛だれのねぎそばチヂミ

#おつまみ #節約レシピ #粉もの

フライパン 麺

材料（2～3人分）

そば…150g
長ねぎ…1本
- 水…100mℓ
- 片栗粉…50g
- A 薄力粉…40g
- 和風だしの素…小さじ1/2
- 塩…少々

ごま油…大さじ1

〈ピリ辛めんつゆだれ〉
めんつゆ（3倍濃縮）…大さじ2
みりん…大さじ1
ごま油…大さじ1
豆板醤…小さじ1

下ごしらえ

そば》袋の表記通りにゆで、冷水で手早く揉み洗いして水気を切る
長ねぎ》斜め薄切り
ピリ辛めんつゆだれ》混ぜ合わせる

作り方

① そばは長さ3～4cmのざく切りにする。
② ボウルにそば、長ねぎ、Aを入れ、混ぜ合わせる。
③ フライパンにごま油を熱し、②を流し入れ、焼く。焼き色がついたら裏返して、軽く押しながらもう片面も焼き色をつける。
④ 食べやすい大きさに切り、ピリ辛めんつゆだれを添える。

Memo
■辛いものが苦手な場合は豆板醤を加えなくてもおいしいです。

08/02

塩昆布チーズつくね

#節約レシピ　#おつまみ　#お弁当

肉　フライパン

20min

材料（2人分）

鶏むね肉…1枚（300g）
大葉…5枚
プロセスチーズ…2個
塩昆布…10g
A
片栗粉…大さじ1と1/2
マヨネーズ…大さじ1
酒…大さじ1
塩…少々
ごま油…大さじ1

下ごしらえ

鶏むね肉≫粗みじん切り

作り方

① ボウルに鶏肉を入れ、大葉とプロセスチーズはちぎりながら入れる。塩昆布、Aを加えて混ぜ合わせる。
② フライパンにごま油を熱し、①をスプーンですくって丸く成形しながら並べ入れ、片面に焼き色がついたら裏返す。ふたをして、弱火で3分ほど蒸し焼きにする。

Memo
■肉だねのまとまりが悪い場合は、様子を見ながら片栗粉を足してください。
■鶏ひき肉でも作ることができます。

@macaroni_news　節約食材の鶏むねを使った、さめてもおいしいおかずです。

08/03

まるごとなすの揚げ浸し

#材料ひとつだけ　#作りおき★　#和風

野菜　フライパン

25min

材料（2〜3人分）

なす…5本
だし汁…250ml
（和風だしの素…小さじ2/3
水…250ml）
A
しょうゆ…大さじ2
みりん…大さじ2
酒…大さじ1と1/2
しょうが（すりおろし）…小さじ1
揚げ油…適量

下ごしらえ

なす≫ガクを取り除く。全体に縦の切り込みを細かく入れる

作り方

① フライパンに揚げ油を170℃に熱し、なすを入れて転がしながら8分ほど揚げる。しんなりしたら、取り出して保存容器に入れる。
② 鍋にだし汁とAを入れて火にかけ、ひと煮立ちしたら火からおろす。
③ ①に②をかける。少し置いたらなすを裏返して全体に味をなじませる。お好みで青ねぎをかける。

Memo
■なすは皮の破裂を防止し、火を通りやすくするために、必ず切り込み目を入れてください。

@macaroni_news　夏の定番、揚げ浸しをまるごとのなすで！　とろとろのなすが絶品。

08/04

とうもろこしのサクサクのり塩天ぷら

#材料ひとつだけ　#おつまみ　#おやつにも

野菜
フライパン

30min

材料（2～3人分）
とうもろこし…2本
天ぷら粉…大さじ2
A
冷水…75mℓ
天ぷら粉…35g
青のり…小さじ2
塩…小さじ½
揚げ油…適量

下ごしらえ
A≫混ぜ合わせる

作り方
① とうもろこしは皮のまま1本ずつラップで包み、耐熱容器にのせて電子レンジ600Wで5分加熱する。
② 粗熱を取り、皮をむいて半分に折る。断面を下にして立て、芯と実の間に包丁を入れて実をそぎ落とす。
③ ボウルに②のとうもろこしの実と天ぷら粉を入れてさっくり混ぜたら、Aと青のり、塩を加えてさらに混ぜる。
④ フライパンに1cm深さの揚げ油を170～180℃に熱し、大きめのスプーンですくった③を入れ、揚げ焼きにする。3分ほど揚げたら裏返して両面にうっすら揚げ色がつくまで揚げる。お好みで塩とミニトマトを添える。

@macaroni_news お子さんのおやつにもぴったりです。

08/05

ゴーヤの甘酢漬け

#作りおき　#材料ひとつだけ　#加熱なし

野菜
なし

10min

材料（2～3人分）
ゴーヤ…1本
A
しょうゆ…100mℓ
酢…100mℓ
砂糖…80g
赤とうがらし（輪切り）…適量

下ごしらえ
ゴーヤ≫縦半分に切り、ワタをこそげ取り、2～3mm幅の薄切り
A≫混ぜ合わせる

作り方
① ボウルにゴーヤを入れ、塩少々（分量外）をふり10分置く。水で洗ってザルに上げ、水気を絞り保存容器に入れる。
② ①にAを注ぎ入れ、冷蔵庫でひと晩漬け込む。

Memo
■塩をふったらゴーヤから水分が出るまでしっかり時間を置いて、苦味をやわらげます。

@macaroni_news ゴーヤは加熱しないので、シャキシャキの食感を楽しめます。

08/06

玉ねぎドレッシングのトマトサラダ

#簡単レシピ　#ヘルシー　#加熱なし

野菜

なし

材料（2人分）

トマト…2個
玉ねぎ…70g
酢…大さじ2
オリーブオイル…大さじ1
A 砂糖…小さじ2
しょうゆ…小さじ2
塩…ひとつまみ

下ごしらえ

トマト≫6等分のくし形切りにして斜め半分に切る
玉ねぎ≫みじん切り

作り方

①玉ねぎは水にさらして10分置き、水気を絞る。
②ボウルに玉ねぎとAを入れて混ぜ合わせる。
③トマトを加えてサッとあえる。

Memo

■玉ねぎは水にさらして辛味を抜いてください。
■オリーブオイルをごま油にしてもおいしいです。

15min

@macaroni_news　玉ねぎがたっぷり入ったドレッシングをフレッシュなトマトにかけて。

08/07

キャベツときゅうりの旨辛ラーポン

#包丁いらず　#スピード副菜　#加熱なし

野菜

なし

材料（4人分）

キャベツ…¼個
きゅうり…2本
ポン酢しょうゆ…大さじ2
ごま油…大さじ1
A 鶏ガラスープの素…小さじ1
ラー油…小さじ1
塩・こしょう…各少々

作り方

①密閉保存袋にきゅうりを入れ、めん棒でたたいたら、手で食べやすい大きさにちぎる。
②①にキャベツをちぎり入れ、Aを加えて揉み込む。
③空気を抜くようにして袋の口をとじ、冷蔵庫で30分置く。お好みで糸とうがらしをのせる。

Memo

■お好みでにんにくのすりおろしを加えても。
■キャベツは白菜でも代用できます。

5 min

@macaroni_news　たたいて、ちぎって、あえるだけ！　包丁を使わずに作れます。

08/08

もやしチーズのカリカリ焼き

#節約レシピ　#おつまみ　#包丁いらず

15min

野菜　フライパン

材料（2～3人分）

もやし…200g
卵…1個
A 粉チーズ…大さじ2
A 鶏ガラスープの素…小さじ2
A 粗びき黒こしょう…少々
片栗粉…大さじ3
薄力粉…大さじ3
水…大さじ2
ごま油…大さじ3

作り方

① ボウルに卵を割り入れ、Aを加えて混ぜ合わせる。
② 片栗粉、薄力粉、水を入れてさらに混ぜたら、もやしを加えて全体に絡ませる。
③ フライパンにごま油を熱し、②を1/5量ずつ円形になるように入れて焼く。焼き色がついたら裏返し、ふたをして弱火で5分蒸し焼きにする。お好みでケチャップを添える。

Memo
■焼き色がしっかりとついて、表面が固まってから裏返すときれいに仕上がります。

@macaroni_news コスパばつぐんのもやしで、包丁も使わずに作れる簡単レシピです。

08/09

冷やしおでん

#ヘルシー　#おもてなし　#作りおき★

20min

野菜　鍋

材料（2人分）

大根…1/3本
ミディトマト…4個
オクラ…4本
さつま揚げ…2枚
ゆで卵…2個
だし汁…400mℓ
A 酒…大さじ4
A みりん…大さじ3
A 薄口しょうゆ…大さじ1/2
A 塩…小さじ1

下ごしらえ

大根≫1・5㎝厚さの輪切り
トマト≫皮に切り込みを入れる
オクラ≫塩で板ずりする
さつま揚げ≫油抜きする

作り方

① 鍋に湯を沸かし、トマトを30秒ゆで、冷水に入れて皮をむく。
② 新しい鍋に大根、だし汁を入れて沸かす。Aを加えて落としぶたをし、弱火で10分煮込む。
③ オクラ、さつま揚げを加えて1分ほど煮て火からおろす。卵を加えて粗熱を取り、トマトを加えたら冷蔵庫で冷やす。

Memo
■トマトは湯むきすることで味が染み込みやすくなります。
■ゆで卵を加えてから粗熱を取ることで、卵にだし汁の味が染み込みます。

@macaroni_news お好みの夏野菜でアレンジしても！

08/10

なすとトマトのチーズ焼き

#おつまみ　#洋風　#簡単レシピ

10min

トースター　野菜

材料（2～3人分）

なす…3本
ミニトマト…8～10個
ベーコン（薄切り）…2枚
A オリーブオイル…大さじ1
A にんにく（すりおろし）…小さじ½
黒こしょう…少々
ピザ用チーズ…40g

下ごしらえ

なす≫1cm幅の斜め切り
ミニトマト≫2等分に切る
ベーコン≫3cm幅に切る
A≫混ぜ合わせる

作り方

① 耐熱皿になすとベーコンを交互に並べ入れる。
② Aを全体にかけ、ふんわりとラップをかけて電子レンジ600Wで1分30秒加熱する。
③ ②にミニトマト、ピザ用チーズをのせて180℃のトースターで5分加熱する。お好みで乾燥パセリをふる。

Memo

■このレシピでは、なすはアク抜きしていませんが、なすのエグみが気になる場合は、水にさらすか、塩揉みをしてアク抜きしてくださいね。

@macaroni_news 材料を切って入れるだけで簡単に作れて、彩りもよく仕上がります。

08/11

おつまみアボたく

#おつまみ　#ご飯のおとも　#加熱なし

5 min

野菜

なし

材料（2〜3人分）

アボカド…1個
たくあん…40g
酢…小さじ½
A
しょうゆ…小さじ2
わさび…小さじ1
ごま油…小さじ1
しょうが（すりおろし）…小さじ½
味つけのり…適量
白すりごま…適量

下ごしらえ

アボカド≫半分に切り、種を取ったら、1cm四方の切り込みを入れて実を取り出す
たくあん≫5mm角に切る

作り方

① ボウルにアボカドを入れてつぶし、酢を加えてさらにつぶしながら混ぜる。
② たくあんとAを加えて混ぜ合わせる。
③ のりの上にのせて、白ごまをかける。

Memo
■アボカドのつぶし加減はお好みで調整してください。

@macaroni_news 人気のとろたくをヒントに生まれたレシピ。

08/12

やみつききゅうり

#材料ひとつだけ　#加熱なし　#おつまみ

20 min

野菜

なし

材料（2人分）

きゅうり…2本
塩…小さじ⅓
A
白すりごま…大さじ1
ごま油…大さじ1
酢…大さじ½
鶏ガラスープの素…小さじ1
にんにく（すりおろし）…小さじ½

下ごしらえ

きゅうり≫縞模様になるように皮をむき、1〜1.5cm幅の輪切り

作り方

① きゅうりに塩をふって10分置き、水気を絞る。
② ボウルに①とAを入れて混ぜ合わせる。お好みでラー油をかけ、韓国のりをちぎってのせる。

Memo
■きゅうりは皮をむくと、味が染み込みやすくなります。
■味がぼやけないようにしっかりときゅうりの水分を絞ってください。

@macaroni_news きゅうりが余ってしまったときに作りたい消費レシピです。

08/13

ねぎだく大根

#加熱なし　#ご飯のおとも　#おつまみ

野菜　なし

20min

材料（3〜4人分）

大根…1/2本（500g）
長ねぎ…1本
塩…小さじ1/2
A
砂糖…大さじ2
酢…大さじ2
しょうゆ…大さじ1
ごま油…大さじ1
にんにく（すりおろし）…小さじ1/2
赤とうがらし（輪切り）…少々
白いりごま…大さじ1

下ごしらえ

大根≫5㎜厚さのイチョウ切り
長ねぎ≫みじん切り

作り方

①大根は塩をふって揉み込み、10分ほど置いたら、水気を絞る。
②ボウルにAを入れて混ぜ合わせたら、大根を加えてあえる。
③長ねぎ、白ごまを加えて混ぜ合わせる。

Memo
■大根の水気はしっかりと絞ってください。

@macaroni_news 大根のポリポリとした食感がクセになります。

08/14

定番無限なす

#ご飯がすすむ　#レンチン　#スピード副菜

野菜　レンジ

15min

材料（3人分）

なす…3本
ツナ缶…1缶（70g）
A
ごま油…大さじ1
鶏ガラスープの素…小さじ1
砂糖…小さじ1/2
塩・こしょう…各少々
大葉…2枚

下ごしらえ

なす≫縦に細切り。水に5分さらし、水気を切る
ツナ缶≫油を切る
大葉≫せん切り

作り方

①耐熱ボウルになす、ツナ缶、Aを入れて混ぜ合わせる。ふんわりとラップをかけて電子レンジ600Wで5分加熱する。
②仕上げに大葉をのせ、お好みで白ごまをふる。

Memo
■味を均一にするために、しっかり混ぜ合わせてからレンジで加熱するのがポイントです。

@macaroni_news 大人気無限シリーズ！　ツナのうまみをたっぷり吸ったなすがおいしい。

⏲10min

08/15

さっぱり冷しゃぶサラダ

#基本のレシピ　#ヘルシー

鍋　肉

材料（2人分）

豚薄切り肉（しゃぶしゃぶ用）…200g
レタス…2〜3枚（約50g）
きゅうり…½本
ミニトマト…5個
水…1ℓ
酒…大さじ2
塩…小さじ1
〈ドレッシング〉
酢…大さじ1
しょうゆ…大さじ1
ごま油…大さじ1
砂糖…小さじ1
塩…ひとつまみ

下ごしらえ

レタス≫大きめの一口大にちぎって冷水にさらし、ザルに上げて水気を切る
きゅうり≫5㎜厚さの斜め輪切り
ミニトマト≫2等分に切る
ドレッシング≫混ぜ合わせる

作り方

① 鍋に湯を沸かし、酒、塩を加えて混ぜ、弱火にする。豚肉を1枚ずつ広げ入れ、箸でゆらしながら色が変わるまでゆでる。
② ゆで上がったら、1〜2秒ほどサッと冷水（分量外）にくぐらせる。
③ 器にレタス、きゅうり、②の豚肉、ミニトマトの順にのせ、ドレッシングをかける。

Memo

- 豚肉は塩と酒を加えてゆでると、臭みが消えて食べやすくなります。
- 一気に鍋に入れると豚肉同士がくっついて固まってしまうので、1枚ずつ広げてゆでてください。
- 冷水に長時間さらすと硬くなってしまうので、1〜2秒ほどサッとくぐらせる程度にさらすのがポイントです。

@macaroni_news 暑くて、忙しい日に！　酸味のきいたあっさりドレッシングでどうぞ。

08/16

サバ缶ユッケ

#スピード副菜　#包丁いらず　#加熱なし

魚

なし

10min

材料（2～3人分）

サバ水煮缶…1缶（190g）

A
- コチュジャン…大さじ1
- しょうゆ…大さじ$\frac{1}{2}$
- 砂糖…小さじ1
- ごま油…小さじ1
- にんにく（すりおろし）…少々

卵黄…1個分

白いりごま…適量

下ごしらえ

サバ水煮缶≫水気を切る

作り方

①ボウルにサバ缶を入れてフォークでほぐす。

②Aを加えてよく混ぜ合わせる。

③器に盛り、卵黄、白ごまをのせる。

Memo

■サバ缶はよくほぐすと食べやすくなります。

@macaroni_news メイン食材はサバ缶のみ！　ご飯もお酒もすすみます。

08/17

やみつきチキン

#材料ひとつだけ　#ご飯がすすむ　#がっつりメニュー

肉

フライパン

15min

材料（2人分）

鶏もも肉…1枚（350g）

塩…小さじ$\frac{1}{4}$

こしょう…少々

A
- マヨネーズ…大さじ1
- しょうゆ…大さじ$\frac{1}{2}$
- 酒…大さじ$\frac{1}{2}$
- みりん…大さじ$\frac{1}{2}$
- オイスターソース…小さじ1

下ごしらえ

鶏もも肉≫一口大に切る

作り方

①ポリ袋に鶏肉を入れて塩、こしょうをまぶす。Aを加えて、しっかりと揉み込み、数分置く。

②フライパンを熱し、油をひかずに①を皮目から入れ、焼き色がついたら裏返し、中まで火を通す。お好みで粗びき黒こしょうをふり、パセリとレモンを添える。

Memo

■鶏むね肉でも作ることができます。

@macaroni_news 下味にマヨネーズを入れると、お肉が柔らかくジューシーに仕上がります。

20min

08/18

きゅうりのピリ辛塩昆布漬け

#作りおき #ご飯がすすむ #簡単レシピ

野菜 / 鍋

材料（2～3人分）

きゅうり…3本

A
- めんつゆ（3倍濃縮）…大さじ3
- 酢…大さじ1
- 砂糖…小さじ2
- ごま油…小さじ2

塩昆布…10g
白いりごま…大さじ2
赤とうがらし（輪切り）…小さじ2

下ごしらえ

きゅうり≫1・5cm厚さの輪切り

作り方

① ボウルにAを入れて混ぜ合わせる。

② 鍋に湯（分量外）を沸かし、きゅうりを30秒ほどゆでる。水気を切って①に入れ、塩昆布、白ごま、赤とうがらしを加えて混ぜ合わせる。粗熱を取り、冷蔵庫で冷やす。

Memo
■少し漬け込むと、よりおいしく食べられます。

@macaroni_news 常備しておくと、便利なラクラク副菜レシピです。

15min

08/19

とうもろこしのパリパリチーズ焼き

#簡単レシピ #おつまみ #おやつにも

野菜 / フライパン

材料（4人分）

とうもろこし…½本
ピザ用チーズ…100g
粗びきこしょう…適量
マヨネーズ…適量

下ごしらえ

とうもろこし≫実を包丁でそぎ落とす

作り方

① フライパンにチーズを広げ、とうもろこしの実をのせて加熱する。

② チーズが溶けて片面に焼き色がついたら火を止め、表面が固まったら裏返す。

③ 再び火にかけ、裏面にもしっかり焼き色をつける。食べやすい大きさに切り、粗びきこしょうをふり、マヨネーズを添える。

Memo
■途中で一度火を止めると、溶けたチーズが固まり裏返しやすくなります。
■しっかり焼き色がつくまで火にかけるとカリカリに仕上がります。
■スライスタイプのチーズを使う場合は4等分に切り、その上にとうもろこしをのせて、小さいものをいくつか作るようにすると作りやすいです。

@macaroni_news 味つけいらずで、おやつにもおつまみにもぴったりです。

08/20

さっぱり鶏塩レモン鍋

#おもてなし #簡単レシピ

肉
鍋

20min

材料（2～3人分）

鶏もも肉…150g
白菜…200g
水菜…100g
しめじ…100g
木綿豆腐…200g
レモン（国産）…1個
水…800㎖
酒…大さじ3
塩…小さじ1
鶏ガラスープの素…小さじ1
レモン果汁…大さじ1

下ごしらえ

鶏もも肉≫一口大に切る
白菜、水菜、豆腐≫食べやすい大きさに切る
しめじ≫小房に分ける
レモン≫3㎜厚さの輪切り

作り方

① 鍋に鶏肉、水、酒、塩、鶏ガラスープの素を入れて中火にかける。
② 沸騰したらアクを取り、白菜、しめじ、豆腐を加えてふたをし、5分煮る。
③ 具材に火が通ったらレモン果汁を加え、水菜とレモンをのせる。

Memo

■アクは取りすぎるとうまみが損なわれてしまうのでほどほどに。
■具材はお好みでアレンジしてみてください。

@macaroni_news 輪切りレモンとレモン果汁で、見た目にも華やかなすっきり味の鍋になりました。

08/21

なすのペペロンチーノ

#材料ひとつだけ #作りおき #スピード副菜

野菜
フライパン

10min

材料（2人分）

なす…3～4本
塩…小さじ⅓
にんにく…1かけ
赤とうがらし（輪切り）…1本分
オリーブオイル…大さじ2

下ごしらえ

なす≫縦半分に切り、5㎜幅の斜め切り
にんにく≫みじん切り

作り方

① フライパンにオリーブオイル、にんにく、赤とうがらしを入れて弱火で加熱する。
② 香りが立ったら、なすを加えて炒める。塩を加え、なすがしんなりするまで炒める。

Memo

■にんにくは焦げやすいので必ず弱火で加熱するようにしてください。

@macaroni_news シンプルなペペロンチーノ風味で、作りおきもできる夏におすすめのおかずです。

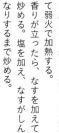

08/22

やみつき塩こんおかかピーマン

#包丁いらず　#レンチン　#お弁当

10min

野菜　レンジ

材料（2人分）

ピーマン…5個
ごま油…小さじ2
塩昆布…10g
しょうが（すりおろし）…小さじ$\frac{1}{3}$
削り節…2g

下ごしらえ

ピーマン≫縦にちぎる

作り方

① ボウルにピーマンを入れ、ごま油をまぶし、ラップをかけずに電子レンジ600Wで2分加熱する。

② 塩昆布、しょうが、削り節を加え、混ぜ合わせる。

Memo

■お弁当に入れる際は、しっかりとさましてから詰めてください。

@macaroni_news　包丁を使わずに、しかもレンチンで作れてとってもラクラク。

08/23

玉ねぎのチーズチヂミ

#簡単レシピ　#おつまみ　#粉もの

15min

野菜　フライパン

材料（2人分）

玉ねぎ…1個（250g）
ピザ用チーズ…30g
A 水…大さじ4
　薄力粉…大さじ3
　片栗粉…大さじ3
　鶏ガラスープの素…小さじ$\frac{1}{2}$
ごま油…大さじ1
〈たれ〉
ポン酢しょうゆ…大さじ2
白いりごま…小さじ1
ラー油…少々

下ごしらえ

玉ねぎ≫薄切り
たれ≫混ぜ合わせる

作り方

① ボウルにAを入れて混ぜ合わせたら、玉ねぎ、ピザ用チーズを加えてさらに混ぜる。

② フライパンにごま油を熱し、①を流し入れる。片面に焼き色がついたら裏返し、3分ほど焼く。

③ 仕上げにごま油小さじ1（分量外）を回し入れ、強火で焼く。食べやすい大きさに切り、たれを添える。

Memo

■仕上げにごま油を入れて強火で焼くことで、カリッとした仕上がりに。

@macaroni_news　中途半端に余ってしまった玉ねぎの消費にもおすすめ。

08/24

ほうれん草とにんじんの白あえ

#基本のレシピ　#ヘルシー　#和風

20min

鍋　野菜

材料（2人分）

木綿豆腐…½丁（150g）
ほうれん草…¼束
にんじん…30g
しいたけ…2枚
こんにゃく…50g
だし汁…100㎖
（和風だしの素…小さじ¼
水…100㎖）
――A――
薄口しょうゆ…小さじ2
みりん…小さじ2
白いりごま…大さじ2
――B――
砂糖…大さじ2
みそ…大さじ½
薄口しょうゆ…小さじ2
塩…ひとつまみ

下ごしらえ

豆腐≫大きめにちぎり、熱湯でゆでる
ほうれん草≫ゆでて冷水に取り、水気をよく絞って3㎝長さに切る
にんじん≫せん切り
しいたけ≫5㎜幅の薄切り
こんにゃく≫短冊切りにして1分ほどゆで、ザルに上げて水気を切る

作り方

① 鍋にAを入れて火にかけ、煮立ったらにんじん、しいたけ、こんにゃくを加え、煮汁が少なくなるまで弱火で5分ほど煮詰める。鍋のままさまし、ザルに上げて水気を切る。
② すり鉢に白ごまを入れ、粗くすりつぶす。水気をよく拭き取った豆腐を加えてさらにすり合わせ、Bを加えて混ぜ合わせる。
③ ボウルにすべての材料を入れて混ぜ合わせる。

Memo
■豆腐は裏ごしすると、さらに口当たりがなめらかに。

@macaroni_news　和食の定番副菜、基本の白あえレシピです。

08/25

鶏ささみ肉のコチュマヨ焼き

#下味冷凍 #作りおき★ #材料ひとつだけ

肉
フライパン

5 min

材料（4人分）

鶏ささみ…6本
A コチュジャン…大さじ3
　マヨネーズ…大さじ3
　酒…大さじ3
　にんにく（すりおろし）…小さじ1
ごま油…大さじ1

下ごしらえ

鶏ささみ≫筋を取り、そぎ切り

作り方

① 密閉保存袋にささみとAを入れ、袋の上から揉み込む。空気を抜いて口をとじ、手で4等分に筋をつけて冷凍庫で保存する。

Memo
■下味にマヨネーズを加えることで、しっとりとした食感に。
■冷凍の状態で2週間保存が可能です。
■食べるときは、¼量を取り出して解凍します。フライパンにごま油を熱し、漬けだれを軽くぬぐったささみを入れ、弱中火で両面2分ずつ焼いたら残ったたれを加え、煮絡めて完成です。

@xmizukax 鶏ささみを調味料で揉み込んで冷凍して、食べたいときはサッと焼くだけ。

08/26

紫玉ねぎのマリネ

#材料ひとつだけ #作りおき #お弁当

野菜
なし

10 min

材料（2人分）

紫玉ねぎ…½個（140g）
A オリーブオイル…大さじ1
　酢…大さじ1と½
　砂糖…小さじ1
　塩…ひとつまみ
　黒こしょう…少々

下ごしらえ

紫玉ねぎ≫繊維に垂直に薄切りにして、水にさらす。10分ほど置き、水気を絞る

作り方

① ボウルにAを入れて混ぜ合わせる。
② 紫玉ねぎを加えてよく混ぜ合わせ、冷蔵庫で1時間置く。

Memo
■紫玉ねぎの水気はしっかりと絞ってください。
■酢の種類に合わせて砂糖の分量は調整してください。

@macaroni_news 彩りがきれいで、お弁当の副菜や箸休めにもぴったり。

08/27

鶏むね肉のユッケ風

#節約レシピ　#レンチン　#おつまみ

肉
レンジ

10min

材料（2～3人分）

鶏むね肉…½枚（200g）
砂糖…小さじ1
塩…少々
酒…小さじ2
オイスターソース…大さじ1
ごま油…大さじ1
A 豆板醤…小さじ2
A にんにく（すりおろし）…小さじ½
A しょうが（すりおろし）…小さじ½
青ねぎ（小口切り）…20g
卵黄…1個分
白いりごま…適量

作り方

① 鶏肉はフォークで数か所穴をあけ、砂糖、塩の順にすり込む。
② 耐熱容器に①を入れ、酒をかけてふんわりとラップをかけて電子レンジ600Wで2分30秒加熱する。電子レンジから取り出し、余熱で中まで火を通す。
③ ボウルにAを入れて混ぜ、②を手で細かくさきながら入れ、青ねぎを加えてよく混ぜ合わる。器に盛り、卵黄、白ごまをトッピングする。

Memo
■鶏肉は砂糖をすり込むことでしっとりとした食感に仕上がります。

@macaroni_news 鶏むね肉は、レンチンとは思えないほどしっとり食感でおいしい。

08/28

大葉と切り干し大根のサラダ

#スピード副菜　#加熱なし　#作りおき★

野菜
なし

30min

材料（2人分）

切り干し大根（乾燥）…30g
油揚げ…1枚
大葉…5枚
梅干し…1個
砂糖…小さじ1
ポン酢しょうゆ…大さじ3

下ごしらえ

切り干し大根≫水に浸けて揉み洗いし、水を入れ替えて20分ほど置く
油揚げ≫油抜きをし、5mm幅に切る
大葉≫せん切り
梅干し≫種を除き、包丁でたたく

作り方

① 切り干し大根の水気を絞り、食べやすい大きさに切る。
② ボウルに①とすべての材料を入れてあえる。

Memo
■お好みでみょうがを入れると、よりさっぱりした味わいに。
■切り干し大根や油揚げは水気をしっかり取り除くと味がなじみやすいです。

@macaroni_news さわやかな中に油揚げを入れることで、香ばしさもプラス。

08/29

冬瓜と鶏ひき肉のそぼろあんかけ

#和風 #作りおき

25min

鍋 野菜

材料（2人分）

冬瓜…¼個（400g）
鶏ひき肉…200g
しょうが（すりおろし）…小さじ1
A 水…300ml
　みりん…大さじ2
　しょうゆ・酒…各大さじ1
　和風だしの素…小さじ1
　塩…小さじ⅓
サラダ油…大さじ1
水溶き片栗粉
（片栗粉…大さじ1
水…大さじ2）

下ごしらえ

冬瓜》種とワタを取り、食べやすい大きさに切り、皮をむく

作り方

① 鍋にサラダ油を熱し、しょうがを炒める。香りが立ったらひき肉を入れてほぐしながら炒める。
② ひき肉に火が通ったら冬瓜を入れて炒め合わせ、Aを加える。沸騰したら落としぶたをして弱めの中火で10分煮る。
③ 冬瓜に竹串を刺してスッと通るようになったら火を弱め、水溶き片栗粉を加えて再び煮立たせ、とろみをつける。お好みで青ねぎをかける。

Memo

■冬瓜は煮込むと角が取れて小さくなるので、大きめに切ってください。皮を薄めにむくと、きれいな緑色に仕上がります。

@macaroni_news できたてのアツアツでも、冷やして食べてもどっちもおいしい！

08/30

やみつき旨だれピーマン

#包丁いらず　#材料ひとつだけ　#スピード副菜

野菜　レンジ

材料（2人分）

ピーマン…5個
オイスターソース…大さじ1
しょうゆ…小さじ1
ごま油…小さじ1
A しょうが（すりおろし）…小さじ½
片栗粉…小さじ½
砂糖…小さじ⅓
白いりごま…大さじ1

下ごしらえ

ピーマン≫手で食べやすい大きさにちぎる

作り方

① ボウルにピーマンとAを入れて混ぜ合わせる。ふんわりとラップをかけて電子レンジ600Wで2～3分加熱する。
② 仕上げに白ごまを加え、サッと混ぜ合わせる。お好みでご飯の上にのせて、卵黄をのせる。

Memo

■ピーマンはお好みの大きさにちぎってください。
■ツナ缶を加えてもおいしいです。

@macaroni_news　レンチンで、火を使わず作るので、夏の暑い日でも汗をかかずに作れます。

08/31

ほうれん草のごまあえ

#材料ひとつだけ　#スピード副菜

野菜　鍋

材料（2人分）

ほうれん草…1束（200g）
塩…ひとつまみ
白いりごま…大さじ2
砂糖…小さじ2
しょうゆ…小さじ2

作り方

① 鍋にたっぷりの湯（分量外）を沸かし、塩を加える。ほうれん草の根元を湯につけ先に30秒ゆでたら全体を湯にしずめ、さらに30秒ゆでる。
② すぐに冷水に取り、ほうれん草の茎を上にして軽く絞る。根元を切り落として、4cm長さに切る。
③ すり鉢に白ごまを入れ、粒が半分残る程度に粗くする。砂糖、しょうゆを加えて混ぜ合わせる。
④ ボウルに②と③を入れ、さっくりと混ぜ合わせる。

Memo

■ほうれん草は切った後にもう一度絞ると、水っぽさがなくなります。
■時間がたつと水分が出てしまうので、食べる直前にあえるのがおすすめです。

@macaroni_news　素材の甘みが口いっぱいに広がるやさしい味わいの一品です。

Column 6

おいしいけれど使いきれなくて困った!

薬味の保存方法

生の薬味食材は、料理がおいしく仕上がる反面、余ってしまうことも。
そんなときのための便利な保存方法をご紹介します。

大葉

まずは 色の悪い部分などは取り除いておく。

冷蔵

約1週間

縦長の密閉保存用器に湿らせたキッチンペーパーか、深さ1cm程度の水を入れ、軸を下にして入れふたをして野菜室へ。

冷凍

約1か月

水分をよく拭いて、密閉保存袋に入れて冷凍庫へ。冷凍された状態で袋ごと揉むと簡単にみじん切り状態に。

冷蔵

約2~3日

しょうゆなどに漬ける。そのままおつまみとして食べたり、ご飯にのせて食べても。

みょうが

まずは 切り口がみずみずしく、かたく締まっているものを選ぶ。

冷蔵

約1週間

まるごと湿らせたキッチンペーパーに包んで野菜室へ。

冷凍

約1か月

使いやすい大きさに刻んでから、冷凍庫へ。使うときは冷凍のままふりかけてOK。

冷蔵

2~3日

甘酢を作って、まるごと漬けて冷蔵。そのまま漬物のように食べることができます。

しょうが

まずは 表面の汚れをよく洗い流し、黒ずみや傷んでいる部分は切り落としておく。

常温

約1か月

新聞紙を湿らせて、しょうがをそのままひとつずつ包み、ざるなどに入れて15℃前後の風通しのいい場所へ。

冷蔵

約1か月

しょうがを水でよく洗い、保存容器にかぶるくらいの水とともに入れふたをして野菜室へ。

冷凍

約1~2か月

調理で使いやすい大きさ(薄切り・みじん切り・せん切り・すりおろしなど)に切り、水気を拭き取ったら小分けにしてラップに包み、密閉保存袋に入れて冷凍庫へ。

保存期間が長くなればなるほど、風味は落ちていきますので
なるべく早めに使い切りましょう!

秋

9月
10月
11月

09/01

韓国風ヤンニョムチキン

#材料ひとつだけ　#韓国風　#作りおき

25min

フライパン　肉

材料（2人分）

鶏もも肉…250g
みりん…大さじ1
塩…少々
片栗粉…適量
A
コチュジャン…大さじ2
トマトケチャップ…大さじ2
はちみつ…大さじ2
砂糖…大さじ1
しょうゆ…大さじ1
にんにく（すりおろし）…小さじ1
揚げ油…適量
ピーナッツ…10g

下ごしらえ

鶏もも肉≫食べやすい大きさに切る
A≫混ぜ合わせる

作り方

① ボウルに鶏肉、みりん、塩を入れて揉み込み、10分置く。水気を拭き取り、片栗粉をまぶす。
② フライパンに揚げ油を180℃に熱し、①を揚げる。
③ 別のフライパンに②の鶏肉とAを入れて弱中火で温め素早く絡める。仕上げに砕いたピーナッツをかける。

Memo

■はちみつを使うことでコク深い味わいに仕上がります。

@macaroni_news カリカリの唐揚げに手作り甘辛ヤンニョムを絡めて本場の味に。

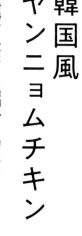

09/02

とろなすのオイマヨステーキ

#材料ひとつだけ　#中華風

野菜　フライパン

材料（2〜3人分）

なす…3本
にんにく…1かけ
オイスターソース…大さじ2
マヨネーズ…大さじ2
サラダ油…大さじ2

下ごしらえ

なす≫縦半分に切って断面に格子状に切り込みを入れる。塩水（分量外）に5分さらし、水気を拭き取る
にんにく≫薄切り

作り方

①フライパンにサラダ油を熱し、にんにくを入れて炒める。表面がきつね色になったら取り出す。
②①のフライパンになすの切り込みを下にして入れ、両面焼き色がつくまで焼く。
③オイスターソース、マヨネーズを加えて全体に絡め、器に盛り、①のにんにくをちらす。

Memo
■格子状に切り込みを入れると、火が通りやすく味も染み込みやすくなります。
■火が通りにくい場合は片面焼いて裏返した後にふたをして蒸し焼きにしてください。

@macaroni_news　切り込みを入れたなすをこんがり焼いてステーキに。

09/03

キャロットラペ

#簡単レシピ　#加熱なし　#包丁いらず

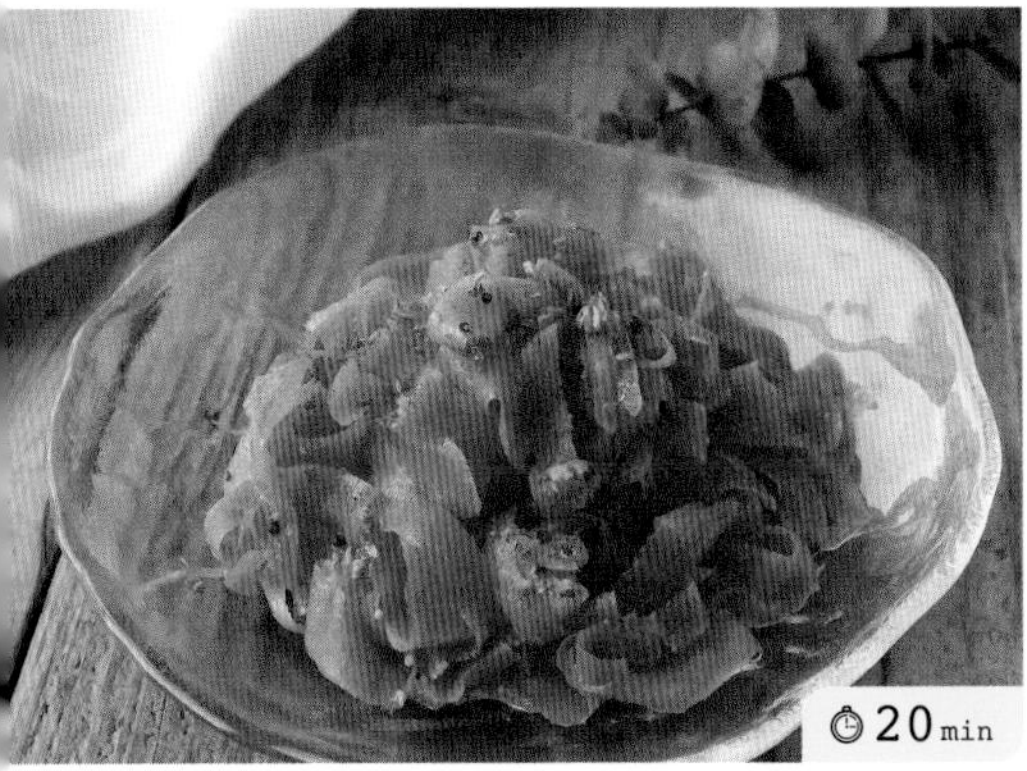

野菜　なし

材料（2〜3人分）

にんじん…1本
塩…小さじ1/2
A
オリーブオイル…大さじ1
酢…大さじ1
粒マスタード…小さじ1
はちみつ…小さじ1

作り方

①にんじんはピーラーで薄くスライスする。塩をまぶし、10分置き、水気を絞る。
②ボウルにAを入れて混ぜ合わせ、①を加え、全体になじませる。

Memo
■レシピでは穀物酢を使用しましたが、バルサミコ酢に替えてもおいしいです。
■はちみつの代わりに砂糖を使用する場合は、小さじ1と1/2を入れてください。

@macaroni_news　包丁を使わずに、にんじんはピーラーでむくだけ！

09/04

なすのしょうが焼き

#材料ひとつだけ　#ご飯がすすむ

野菜

フライパン

材料（2人分）

なす…3本
薄力粉…適量
A しょうゆ…大さじ1
　みりん…大さじ1
　砂糖…大さじ½
　しょうが（すりおろし）…大さじ½
ごま油…大さじ5

下ごしらえ

なす≫縦4等分に切り、水に5分さらし、水気を拭き取る

作り方

① なすの両面に薄力粉をまぶす。
② フライパンにごま油を熱し、なすを両面焼く。
③ 焼き色がついたらAを入れて全体に絡める。お好みで青ねぎをちらす。

Memo
■なすの切り方はお好みでアレンジしてください。

@macaroni_news なすを縦に切ることで見栄えもよく、食べごたえもばっちり。

09/05

豚きのこのバタポン炒め

#ご飯がすすむ　#簡単レシピ　#作りおき★

きのこ

フライパン

材料（2～3人分）

豚こま肉…150g
しめじ…½パック
えのきだけ…200g
しいたけ…2個
塩・こしょう…各少々
酒…大さじ1と½
A ポン酢しょうゆ…大さじ2
　みりん…大さじ1
　しょうゆ…大さじ½
サラダ油…大さじ½
バター…適量

下ごしらえ

豚こま肉≫塩・こしょうをまぶす
しめじ≫小房に分ける
えのきだけ≫小房に分ける
しいたけ≫薄切り

作り方

① フライパンにサラダ油を熱し、豚肉を炒める。肉の色が変わったらきのこ類を入れ、酒を加えてふたをし、4～5分ほど蒸し焼きにする。
② ふたを開けて水分を飛ばし、Aを加えて炒める。熱いうちにバターをのせ、お好みで青ねぎをちらす。

Memo
■蒸し焼きにすることで、きのこのうまみが豚肉に染み込んで一層おいしくなります。

@macaroni_news きのこから出るうまみとバターポン酢の風味で箸が止まりません。

09/06

玉ねぎの焼き浸し

#材料ひとつだけ　#作りおき★　#スピード副菜

野菜　フライパン

材料（2～3人分）

玉ねぎ…2個

A
- 水…150ml
- 和風だしの素…小さじ1/3
- しょうゆ…大さじ1と1/2
- みりん…大さじ1と1/2
- 酒…大さじ1
- しょうが（すりおろし）…小さじ1
- 赤とうがらし（輪切り）…1本分

オリーブオイル…大さじ2

下ごしらえ

玉ねぎ》1cm厚さの輪切り

作り方

① フライパンにオリーブオイルを熱し、玉ねぎを両面焼く。焼き色がついたら取り出し、同じようにすべて焼く。

② 鍋にAを入れて煮立たせる。

③ 保存容器に①を入れ、②を注ぎ入れる。

Memo

■玉ねぎを焼くときは、崩れやすいので頻繁に裏返さないようにするときれいに仕上がります。

■食べるときにお好みで削り節をかけるとおいしいです。

@macaroni_news こんがり焼き目をつけてからたれに浸すことで、香ばしさと甘さが広がります。

09/07

しょうがときゅうりのポリポリ漬物

#ご飯のおとも　#おつまみ　#作りおき★

野菜　鍋

材料（2～3人分）

きゅうり…3本（300g）

しょうが…1かけ

塩昆布…10g

塩…小さじ1

A
- しょうゆ…75ml
- 砂糖…45g
- 酢…大さじ2
- 酒…大さじ1

下ごしらえ

きゅうり》7～8mm幅の輪切りにし、塩で揉み込み、15～20分置いて水気を絞る

しょうが》せん切り

作り方

① 鍋にAを入れて火にかけ、ひと煮立ちしたらきゅうり、しょうが、塩昆布を加える。

② 再び沸いたら火からおろし、そのまま1時間ほど置いて粗熱を取る。

Memo

■きゅうりは食感を残すため、サッと煮るのがポイントです。

■お好みで赤とうがらし（輪切り）を入れてピリ辛にするのもおすすめです。

@macaroni_news 作りおきして、あと一品ほしいときや箸休めに活用して。

09/08

旨辛鶏むね肉の焼肉風スティック

#材料ひとつだけ　#お弁当　#作りおき★

肉　フライパン

20min

材料（2人分）
鶏むね肉…1枚（250g）
A
しょうゆ…小さじ2
みりん…小さじ2
砂糖…小さじ1
みそ…小さじ1
酒…小さじ1
にんにく（すりおろし）…小さじ1
豆板醤…小さじ½
ごま油…小さじ2

下ごしらえ
鶏むね肉≫1㎝厚さのそぎ切りにし、1㎝幅の棒状に切る

作り方
① ボウルに鶏肉とAを入れて揉み込み、5分置く。
② フライパンにごま油を熱し、汁気を軽く切った①の鶏肉を入れ、転がしながら焼く（ボウルに残ったAは取っておく）。
③ 全体に焼き色がついたら、Aを加えて、煮絡める。お好みで白いりごまをかける。

Memo
■辛いものが苦手な方やお子さまが食べる場合には、豆板醤の量を減らして作ってみてください。
■鶏むね肉は30分～1時間ほど冷凍庫に入れておくと切りやすくなります。

@mizuki_31cafe　焼肉風のピリ辛味で、ご飯がすすみます！

09/09

豚肉と厚揚げとなすの簡単ミルフィーユ蒸し

#レンチン　#ご飯がすすむ　#簡単レシピ

肉　レンジ

15min

材料（2人分）
厚揚げ…1枚
なす…2本
豚ロース肉（薄切り）…200g
A
にんにく（すりおろし）…1かけ分
しょうゆ…大さじ2
酢…大さじ1
砂糖…小さじ2

下ごしらえ
厚揚げ≫5㎜厚さの薄切り
なす≫5㎜幅の斜め薄切り
豚ロース肉≫2等分に切る
A≫混ぜ合わせる

作り方
① 耐熱皿に厚揚げ、なす、豚肉を交互に円状に重ねて並べ、Aを半量回しかける。
② ふんわりとラップをかけて電子レンジ600Wで5分加熱する。
③ 残りのAをかける。お好みで大根おろし、青ねぎをかける。

Memo
■なすと厚揚げは薄切りにすることで、火の通りが早くなります。
■粗熱を取ってから冷蔵庫で冷やすと、味がなじんでよりおいしくなります。

@macaroni_news　厚揚げ、なす、豚肉をきれいに並べて目でも楽しめる一品に。

09/10

こんにゃくとごぼうの甘辛煮

#作りおき★　#お弁当　#おつまみ

25min

フライパン　野菜

材料（4人分）

こんにゃく…1枚（300g）
ごぼう…1本（150g）
豚バラ肉（薄切り）…150g
水…200mℓ
和風だしの素…小さじ1
Aしょうゆ…大さじ2
酒…大さじ2
砂糖…大さじ1
ごま油…大さじ1

下ごしらえ

ごぼう»乱切りにし、水に5分さらし、水気を切る
豚バラ肉»4cm幅に切る

作り方

①ポリ袋にこんにゃくを入れ、めん棒で表面をたたく。表面積が1・5倍の大きさになったら袋から取り出し、一口大にちぎる。

②フライパンに①とかぶるくらいの水（分量外）を入れて沸かす。沸騰してから2分ゆで、ザルに上げて水気を切る。

③フライパンの水気を拭いて②を戻し入れ、乾煎りする。水分が抜けて表面が白っぽくなり、チリチリと高い音がしてきたらごま油を入れて炒める。

④ごぼうと豚肉を加えて炒め合わせる。全体に油が回ったらAを加え、ときどき混ぜながら弱中火で煮汁が煮詰まって照りが出るまで15分煮る。

Memo

■こんにゃくは表面をよくたたいてから下ゆでし、しっかりと乾煎りをすることで、味が染み込みやすくなります。

@mikason925 豚バラ肉とごぼうのおかげでボリューム満点に仕上がります。

09/11

豆腐の大葉肉巻き

#おつまみ　#節約レシピ

20min

材料（2～3人分）
木綿豆腐…300g
豚バラ肉（薄切り）…200g
大葉…10枚
片栗粉…適量
A
しょうゆ…大さじ2
砂糖…大さじ1
酒…大さじ1
みりん…大さじ1
わさび…大さじ$\frac{1}{2}$
サラダ油…適量

作り方
① 豆腐をキッチンペーパーで包み、ふんわりとラップをかけて電子レンジ600Wで3分加熱する。重しをのせて10分ほど置き、水切りをして1cm幅に切る。
② 豚肉を広げ、大葉と豆腐をのせて巻き上げ、片栗粉をまぶす。
③ フライパンにサラダ油を熱し、②を並べて入れる。焼き色がついたらAを加えて全体に絡め、火を弱めてわさびを加えて全体を混ぜる。

Memo
■わさびは熱すると風味が飛んでしまうので、火を弱めてから絡めるのがポイントです。

肉
フライパン

@macaroni_news　豆腐を大葉と一緒に豚肉で巻き上げて、おかずにもおつまみにも。

09/12

なすとえのきのとろとろ煮

#作りおき　#簡単レシピ

15min

材料（2人分）
なす…3本
えのきだけ…1パック（200g）
A
しょうゆ…大さじ2
酒…大さじ2
みりん…大さじ2
砂糖…大さじ1
しょうが（すりおろし）…小さじ$\frac{1}{2}$
ごま油…大さじ1
酢…大さじ$\frac{1}{2}$

下ごしらえ
なす》縦半分に切り、斜めに細かく切り込みを入れ、3等分の長さに切る
えのきだけ》ほぐして3等分の長さに切る

作り方
① フライパンにごま油を熱し、なすを皮目から入れて両面を3分ずつ焼く。
② えのきとAを加え、5分煮込む。煮汁がとろみを帯びてきたら酢を加え、ひと煮立ちさせる。お好みで青ねぎをかける。

Memo
■仕上げに酢を入れることで味が引き締まります。
■なすを入れず、えのきだけで作ると手作りのなめたけになります。

きのこ
フライパン

@macaroni_news　えのきは加熱すると自然なとろみが出てきます。

09/13

パリパリ羽根つきいそべちくわ

#おつまみ　#スピード副菜　#節約レシピ

その他　フライパン

5 min

材料（2～3人分）

ちくわ…4本
焼きのり…適量
スライスチーズ
（とろけるタイプ）…4枚

下ごしらえ

ちくわ≫縦半分に切り、2等分の長さに切る
焼きのり≫スライスチーズよりもひと回り小さく切る

作り方

① フライパンに焼きのり、チーズの順にのせて火にかけ、チーズが溶けてきたらちくわを4切れずつのせる。
② チーズがきつね色になったら裏返し、サッと焼く。

Memo

■ちくわはお好みの数を並べて焼いてください。
■チーズの周りがカリカリになってきて、真ん中辺りが少し溶けてきたタイミングでちくわをのせるのがポイントです。

@macaroni_news　ちくわ、のり、チーズでコスパ最強の簡単おかずです。

09/14

ハニーマスタードポテト

#材料ひとつだけ　#作りおき★　#お弁当

野菜　フライパン

15 min

材料（2～3人分）

じゃがいも…4個
A
粒マスタード…大さじ2
はちみつ…大さじ1
しょうゆ…大さじ1
酒…大さじ1
オリーブオイル…大さじ2

下ごしらえ

じゃがいも≫食べやすい大きさに切る

作り方

① 耐熱ボウルにじゃがいもを入れ、ふんわりとラップをかけて電子レンジ600Wで5分加熱する。
② フライパンにオリーブオイルを熱し、じゃがいもを入れてときどき転がしながら全体に焼き色がつくまで焼く。
③ 余分な油をキッチンペーパーで拭き取り、Aを加え、全体に絡ませながら煮詰める。

Memo

■じゃがいもはカットして表面積を増やすことで、たれが絡みやすくなります。

@macaroni_news　お子さんにも好まれる甘辛い味つけです。

20min

09/15

鶏むね月見つくね

#おつまみ #ご飯がすすむ

フライパン 肉

材料（2〜3人分）

鶏むね肉…1枚（300g）
長ねぎ…½本（40g）
卵…1個
しょうが（すりおろし）…小さじ1
片栗粉…大さじ1
酒…小さじ1
塩・こしょう…各少々
A
しょうゆ…大さじ1
みりん…大さじ1
砂糖…小さじ1
酒…小さじ1
サラダ油…小さじ2

作り方

①ボウルに鶏肉、長ねぎ、しょうが、片栗粉、酒、塩・こしょうを入れて混ぜ合わせる。卵白を加えてさらに混ぜ合わせる。

②フライパンにサラダ油を熱し、①を広げ入れ、3分ほど焼き、裏返してさらに弱中火で焼き、中まで火が通ったら取り出す。

③フライパンをきれいにしてAを入れて煮詰め、②にかけ、卵黄をのせる。お好みで大葉、白いりごまをのせる。

下ごしらえ

鶏むね肉≫粗みじん切りにした後包丁でたたき、ミンチにする
長ねぎ≫みじん切り
卵≫卵黄と卵白に分ける

Memo

- 厚みがある場合は、裏返した後にふたをして蒸し焼きにしてください。
- 小さく成形して焼いてもおいしく食べられます。

@macaroni_news 最後にのせる卵黄の残りの卵白はつくねに入れて使い切ります。

09/16

揚げないひとくち大学いも

#材料ひとつだけ　#作りおき★　#お弁当

野菜　フライパン

材料（カップ8個分）

さつまいも…1本（300g）
砂糖…大さじ3
水…大さじ1
しょうゆ…小さじ1
サラダ油…大さじ3
黒ごま…適量

下ごしらえ

さつまいも≫小さめの一口大に切り、10分水にさらし、水気を拭き取る

作り方

① フライパンにサラダ油とさつまいもを入れて火にかける。ときどき返しながらさつまいもがこんがり色づくまで7～8分ほど揚げ焼きにする。

② 余分な油を拭き取り、砂糖と水を加える。全体を炒めながら絡め、さつまいもに照りが出てきたらしょうゆを回しかけて全体を混ぜる。火からおろして粗熱を取り、カップに移して黒ごまをふる。

Memo

■さつまいもは、常温の油に入れてから火にかけると、中がしっとりホクホクに仕上がります。

@macaroni_news　小分け冷凍して、お弁当のおかずとして作りおきにしても。

09/17

れんこんの肉詰め

#お弁当　#おつまみ　#おもてなし

野菜　フライパン

材料（2～3人分）

れんこん…200g
合いびき肉…80g
塩・こしょう…各少々
片栗粉…適量
A
- 砂糖…大さじ1
- しょうゆ…大さじ1
- 酒…大さじ1
- みりん…大さじ½

サラダ油…大さじ1

下ごしらえ

れんこん≫皮をむき、酢水（分量外）に5分さらし、水気を拭き取る

作り方

① ボウルにひき肉、塩・こしょうを入れ、粘りが出るまでよくこねる。

② 上かられんこんを押し当てて、穴に肉だねを詰める。

③ ②を1cm幅の輪切りにし、両面に片栗粉をまぶす。

④ フライパンにサラダ油を熱し、③を並べ入れる。両面に焼き色がついたら、Aを加えて煮絡める。仕上げにお好みで白いりごまをかける。

Memo

■れんこんは酢水にさらすことで変色を防ぎます。
■片栗粉を両面にしっかりまぶすことで、肉だねが取れにくくなります。

@macaroni_news　シャキシャキれんこんとジューシーな肉だねのぜいたくな組み合わせ。

09/18

ハニップソースのチキンステーキ

#洋風 #ご飯がすすむ

肉
フライパン

材料（2人分）

鶏もも肉…1枚（300g）
とうもろこし…½本
アスパラガス…6本
塩・黒こしょう…各少々
薄力粉…適量
A トマトケチャップ…大さじ2
A ウスターソース…大さじ1
A はちみつ…大さじ1
オリーブオイル…大さじ1
ピザ用チーズ…50g

下ごしらえ

鶏もも肉≫筋切りし、肉の厚い部分は切り開いて薄くのばす
とうもろこし≫ラップで包み、電子レンジ600Wで5分加熱し1cm厚さの輪切り
アスパラガス≫根元の硬い部分を切り落とし、下から3cmまで皮をむく

作り方

① 鶏肉に塩・黒こしょうをふり、薄力粉を薄くまぶす。
② フライパンにオリーブオイルを熱し、鶏肉を皮目から焼く。きつね色になったら裏返し、とうもろこしとアスパラガスを加え、ふたをして弱中火で5分蒸し焼きにする。
③ とうもろこしとアスパラガスを取り出し、Aを加えて煮絡め、弱火にする。
④ チーズをのせ、ふたをして3分蒸し焼きにする。お好みでパセリをかける。

@macaroni_news レモン汁で酸味を足したり、タバスコで辛さを足したりしても。

09/19

もやしのキムチーズチヂミ

#節約レシピ #粉もの

野菜
フライパン

材料（2～3人分）

もやし…1袋（200g）
白菜キムチ…150g
A ピザ用チーズ…50g
A 薄力粉…50g
A 片栗粉…30g
水…50ml
ごま油…大さじ2

作り方

① ボウルにもやし、キムチ、Aを入れて混ぜ合わせ、水を少しずつ加えて粉気がなくなるまでよく混ぜ合わせる。
② フライパンにごま油を熱し、①を流し入れて5分ほど焼き、生地の周りが色づいてきたら裏返す。さらに5分ほど焼き、全体がこんがりと色づいたら食べやすい大きさに切る。お好みで青ねぎをかける。

Memo
■キムチとチーズでしっかり味がついているので、何もつけずにそのまま食べるのがおすすめです。

@macaroni_news もやしのシャキシャキとキムチのピリ辛がおいしいコスパ最強レシピ。

15min

09/20

かぼちゃのきんぴら

#材料ひとつだけ　#お弁当　#作りおき

野菜　フライパン

材料（2人分）

かぼちゃ…200g
塩…少々
砂糖…大さじ1
しょうゆ…大さじ1
サラダ油…大さじ1
白いりごま…適量

下ごしらえ

かぼちゃ≫皮のまま薄切りにしてからせん切り

作り方

① フライパンにサラダ油を熱し、かぼちゃを炒める。
② 塩を加えてさらに炒め、全体に油が回ったらふたをして、1～2分ほど蒸し焼きにする。
③ 火が通ったら砂糖、しょうゆを加えて水分を飛ばしながら炒め、仕上げに白ごまを加えて混ぜる。

Memo

■かぼちゃを太めにカットした場合は、蒸し焼きする際に水を大さじ1程度加え、かぼちゃの芯まで火を通してください。
■かぼちゃが硬い場合は、電子レンジで40秒ほど加熱すると切りやすくなります。

@macaroni_news　やさしい甘みとホクホク食感を楽しむ、かぼちゃだけのきんぴらです。

20min

09/21

ごぼうの甘辛炒め

#材料ひとつだけ　#作りおき

野菜　フライパン

材料（2～3人分）

ごぼう…1本
片栗粉…適量
A しょうゆ…大さじ1
A みりん…大さじ1
A 砂糖…小さじ2
サラダ油…大さじ4
白いりごま…小さじ2

下ごしらえ

ごぼう≫5㎜の厚さの斜め薄切りにし、水に10分さらして水気を拭き取る

作り方

① ごぼうに片栗粉をまぶす。
② フライパンにサラダ油を熱し、①を入れて表面がカリッとするまで揚げ焼きにする。
③ 余分な油を拭き取り、Aを入れて煮絡める。仕上げに白ごまを加えて混ぜ合わせる。

Memo

■豆板醤を加えてピリ辛に仕上げるのもおすすめです。

@macaroni_news　揚げ焼きなので、少なめの油＆フライパンひとつで作れます。

09/22

豚こま肉でガーリック竜田揚げ

#お弁当 #ご飯がすすむ #おつまみ

肉 フライパン

20min

材料（3～4人分）

豚こま肉…300g
豆苗…½袋（40g）
にんにく…2かけ
A
しょうゆ…大さじ2
酒…大さじ1
砂糖…小さじ1
にんにく（すりおろし）…小さじ½
塩・こしょう…各少々
片栗粉…適量
揚げ油…適量

下ごしらえ

豆苗≫食べやすい大きさに切る
にんにく≫薄切り

作り方

①ボウルに豚肉とAを入れ、よく揉み込み、10分置いたら片栗粉をまぶす。
②フライパンに1～2cm深さの揚げ油を入れ、にんにくを加えて火にかける。中火でじっくりとにんにくを揚げて、きつね色になったら取り出す。
③油を170℃に熱し、①を広げながら入れ、カラッとするまで揚げる。
④器に豆苗を敷き、③をのせ、にんにくチップをちらす。お好みでレモン果汁やポン酢しょうゆをかける。

@macaroni_news カリカリ食感にするために、豚肉はまるめずに広げて加熱します。

09/23

照り焼きハンバーグ

#お弁当 #ご飯がすすむ #作りおき★

肉 フライパン

20min

材料（4人分）

合いびき肉…400g
玉ねぎ…1個
卵…1個
A
パン粉…20g
牛乳…大さじ3
しょうが（すりおろし）…小さじ1
塩・こしょう…各少々
B
砂糖…大さじ2
しょうゆ…大さじ2
酒…大さじ2
みりん…大さじ2
片栗粉…小さじ1
サラダ油…大さじ1

下ごしらえ

玉ねぎ≫みじん切り
パン粉≫牛乳に浸す

作り方

①耐熱ボウルに玉ねぎを入れ、ラップをかけて電子レンジ600Wで2分加熱し、粗熱を取る。
②別のボウルにひき肉、玉ねぎ、卵、Aを入れて粘りが出るまでこねる。8等分にして小判形に成形し、中心をくぼませる。
③フライパンにサラダ油を熱し、②を並べ入れ、強火で両面焼く。焼き色がついたらふたをして、弱火で5分蒸し焼きにする。
④余分な油を拭き取り、混ぜ合わせたBを加えて全体に煮絡める。

@macaroni_news たれの砂糖は、はちみつにすると照りが増します。

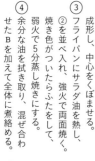

09/24

きつね餃子

#おつまみ　#お弁当　#作りおき

30min

フライパン　肉

材料（2～3人分）

油揚げ…4枚
豚ひき肉…300g
キャベツ…2枚
ニラ…½束

A
しょうゆ…小さじ2
酒…小さじ2
鶏ガラスープの素…小さじ1
オイスターソース…小さじ1
ごま油…小さじ1
にんにく（すりおろし）…小さじ½
しょうが（すりおろし）…小さじ½
塩・こしょう…各少々

ごま油…小さじ2
水…50ml

B
酢…大さじ3
しょうゆ…大さじ2
砂糖…小さじ1
豆板醤…小さじ½

下ごしらえ

油揚げ»油抜きする
キャベツ、ニラ»みじん切り
B»混ぜ合わせる

作り方

① 油揚げの上に菜箸を置き転がしたら半分に切り、袋状に開く。
② ボウルにひき肉、キャベツ、ニラ、Aを入れてこねる。
③ ①に②を8分目ほどまで詰め、口をつまんでとじる。
④ フライパンにごま油を熱し、③を並べ入れる。片面に焼き色がついたら裏返し、水を加えてふたをし、5分蒸し焼きにする。斜め半分に切り、Bを添える。お好みで白髪ねぎをのせる。

Memo

■油揚げは菜箸を転がすことできれいに開けます。

@macaroni_news　餃子の皮は糖質が気になる、そんなときは油揚げを皮に！

09/25

じゃがいもの唐揚げ

#材料ひとつだけ　#おつまみ　#おやつにも

野菜　フライパン

材料（2人分）

じゃがいも…200g
みりん…小さじ4
しょうゆ…小さじ4
コンソメスープの素…小さじ½
にんにく（すりおろし）…小さじ½
片栗粉…適量
揚げ油…適量

下ごしらえ

じゃがいも≫5㎜幅の輪切り。水にさらし、水気を切る

作り方

① ボウルにみりん、しょうゆ、コンソメ、にんにくを入れて混ぜ合わせる。じゃがいもを加えて、15分ほど漬ける。
② じゃがいもに片栗粉をまんべんなくまぶす。
③ フライパンに1～2㎝深さの揚げ油を170℃に熱し、②を入れ、両面に揚げ色がつくまで揚げる。

20min

Memo

■ じゃがいもは2～3回に分けて揚げてください。
■ じゃがいもを厚切りにする場合は、一度電子レンジで加熱すると火が通りやすくなります。

@macaroni_news　ちょっとしたおやつや、おつまみにぴったりの唐揚げです。

09/26

ガーリックエリンギ

#材料ひとつだけ　#おつまみ　#節約レシピ

きのこ　トースター

材料（2～3人分）

エリンギ…5本
A
にんにく…2かけ
バター（有塩）…30g
パセリ…大さじ1
粉チーズ…大さじ½
塩…小さじ¼
パン粉…適量

下ごしらえ

エリンギ≫縦半分にさき、断面に細かく切り込みを入れる
にんにく≫みじん切り
バター≫室温に戻す

作り方

① ボウルにAを入れて混ぜ合わせ、エリンギの断面に塗る。
② Aを塗った上にパン粉をちらし、トースターで焼き色がつくまで6～7分焼く。

10min

Memo

■ 切り込みを入れることで味が染み込みやすくなります。

@macaroni_news　にんにくの香ばしさとエリンギのうまみが口いっぱいに広がります。

09/27

豚肉とキャベツのうま煮

#簡単レシピ　#ご飯がすすむ　#和風

肉
フライパン

15min

材料（2人分）

豚ロース肉（薄切り）…200g
キャベツ…200g
A 水…50㎖
しょうゆ…大さじ1
酒…大さじ1
みりん…大さじ1
和風だしの素…小さじ1

下ごしらえ

豚ロース肉》4㎝幅に切る
キャベツ》ざく切り

作り方

① フライパンにAを入れて火にかける。沸いたら、豚肉を加えて加熱し、アクを取り除く。
② キャベツを加え、ふたをして8分ほど煮込む。

Memo
■豚バラ肉でもおいしく作れます。
■キャベツをくたくたに仕上げたい場合は、煮込み時間を調整してください。

@macaroni_news 和風のシンプルな煮物です。玉ねぎやきのこをプラスしても。

09/28

基本のもやしナムル

#基本のレシピ　#包丁いらず　#レンチン

野菜
レンジ

10min

材料（2人分）

もやし…1袋（200g）
白すりごま…大さじ1
A しょうゆ…大さじ1
ごま油…大さじ½
にんにく（すりおろし）…小さじ½
砂糖…小さじ½
鶏ガラスープの素…小さじ½

作り方

① 耐熱ボウルにもやしを入れ、ふんわりとラップをかけて電子レンジ600Wで2分加熱する。
② 別のボウルにAを入れ、混ぜ合わせる。
③ 水気を切った①を②のボウルに入れ混ぜ合わせる。

Memo
■もやしの水気をしっかりと切ることで味が決まります。
■もやしをゆでる場合は、熱湯で1分ゆでてください。

@macaroni_news レンチンして、あえるだけの定番ナムルです。

09/29

鶏もも肉とさつまいもの甘酢炒め

#ご飯がすすむ　#お弁当　#作りおき★

フライパン　肉

材料（2～3人分）

鶏もも肉…1枚（250g）
さつまいも…250g
れんこん…200g
塩・こしょう…各少々
片栗粉…適量
A
砂糖…大さじ2
しょうゆ…大さじ2
酢…大さじ1
水…大さじ1
揚げ油…適量

下ごしらえ

鶏もも肉»余分な筋と脂を取り除き、一口大に切る
れんこん»1cm幅の半月切り
さつまいも»乱切りにし、水にさらし、水気を拭き取る

作り方

① 鶏肉は、塩・こしょうをふり、片栗粉をまぶす。
② ポリ袋にさつまいも、れんこん、片栗粉を入れ、空気を含ませ、袋の口を押さえながらふり、片栗粉を全体にまぶす。
③ フライパンに1cm深さの揚げ油を熱し、②を入れて弱中火でじっくり揚げ焼きにする。焼き色がついたら取り出す。
④ 同じフライパンに①の鶏肉を入れて焼き、中まで火が通ったら余分な油を拭き取る。
⑤ 野菜を戻し入れ、Aを入れて全体に照りが出るまで煮絡める。お好みで白いりごまをふる。

Memo

- さつまいもやれんこんは低い温度でじっくり揚げ焼きすることで、ホクホク食感に仕上がります。
- 時短調理したい場合はあらかじめ電子レンジで加熱し、水気をよく拭き取ってから揚げ焼きにしてください。
- 酢の代わりに黒酢を使用してもおいしく仕上がります。

@macaroni_news 食材すべてに片栗粉をまぶして、揚げると甘酢あんがよく絡みます。

09/30

ちくわで簡単えびマヨ風

#材料ひとつだけ　#おつまみ　#節約レシピ

30min

材料（2人分）

ちくわ…3本
薄力粉…大さじ3
水…大さじ2
マヨネーズ…大さじ3
A トマトケチャップ…大さじ1
牛乳…大さじ1
砂糖…大さじ1/2
レモン果汁…小さじ1/2
揚げ油…適量

下ごしらえ

ちくわ≫1・5㎝幅の輪切り
A≫混ぜ合わせる

作り方

① ボウルに薄力粉と水を入れて混ぜ、ちくわをくぐらせる。
② フライパンに1㎝深さの揚げ油を170℃に熱し、①を入れ、時々返しながら揚げ焼きにする。
③ ②にAを絡める。

Memo
■ちくわはお好みの太さのものを使用してください。

その他
フライパン

@macaroni_news　衣をつけて揚げ、ソースが絡んだちくわはまるでえびのよう！

Column 7

レンジでできる温泉卵

サラダやおかずの仕上げにのせるだけでグッと華やかになる「温泉卵」。
電子レンジでも作れちゃうんです。

※破裂防止のため、加熱前に必ず卵黄に穴をあけ、加熱時間は様子を見て調節してください。

材料

卵…１個　水…50㎖

作り方

1. 耐熱皿（茶碗など）に卵を落とし、卵黄につまようじで３～５か所ほど穴をあけて水を入れる。
2. 電子レンジ500Ｗで50秒ほど加熱し、湯を切ったら完成。

たれをかけてそのまま食べても！

たれは水大さじ1、白だし小さじ1/2、みりん小さじ1/2、しょうゆ小さじ1/2を混ぜ合わせて、電子レンジ500Ｗで20～40秒加熱して作れます。

10/01

マヨポン豚こまボール

#お弁当　#おつまみ　#節約レシピ

肉　フライパン

材料（2〜3人分）

豚こま肉…250g
A ┬ マヨネーズ…大さじ1
　 ├ しょうゆ…大さじ1
　 └ 酒…大さじ1
塩・こしょう…各少々
片栗粉…適量
サラダ油…適量
B ┬ ポン酢しょうゆ…大さじ1と1/2
　 └ マヨネーズ…大さじ1

下ごしらえ

B≫混ぜ合わせる

作り方

① ボウルに豚肉とAを入れて揉み込み、1/6量ずつぎゅっと丸め、片栗粉をまぶす。
② フライパンにサラダ油を熱し、①を焼く。両面に焼き色がついたら水30〜50ml（分量外）を入れてふたをし、5分蒸し焼きにする。
③ ②に火が通ったら、ふたをあけてBを加えて絡める。お好みで青ねぎをかける。

Memo
■肉に片栗粉をまぶすことで、形が崩れにくくなります。

@macaroni_news　マヨネーズとポン酢の最強コンビでご飯がすすみます。

10/02

さつまいものバター煮

#材料ひとつだけ　#作りおき★　#お弁当

野菜　鍋

材料（2人分）

さつまいも…1本（200g）
砂糖…大さじ2
バター…15g

下ごしらえ

さつまいも≫2cm厚さの輪切りにし、水にさらし、水気を切る

作り方

① 鍋にさつまいも、ひたひたの水（分量外）、砂糖、バターを入れてひと煮立ちさせる。
② 落としぶたをして弱火で5分煮て、さつまいもを裏返し、3分ほど煮る。

Memo
■水が多すぎると煮くずれしやすいのでひたひたの量の水で煮てください。

@macaroni_news　さつまいもの定番、甘煮にバターをプラスしたこっくり甘い一品。

10/03

ジューシー煮込みハンバーグ

#作りおき★　#ご飯がすすむ　#お弁当

20min

フライパン　肉

材料（8個分）

合いびき肉…400g
玉ねぎ…1個
卵…1個
パン粉…½カップ
A 牛乳…大さじ3
トマトケチャップ…大さじ2
塩・こしょう…各少々
ウスターソース…100mℓ
B トマトケチャップ…100mℓ
酒…100mℓ
砂糖…大さじ1
オリーブオイル…大さじ½

下ごしらえ

玉ねぎ≫みじん切り
パン粉≫牛乳に浸す

作り方

① 耐熱ボウルに玉ねぎを入れ、ふんわりとラップをかけて電子レンジ600Wで2分加熱し、粗熱を取る。
② 別のボウルに①、ひき肉、Aを入れて粘りが出るまでよくこねる。8等分の小判形に成形して中心をくぼませる。
③ フライパンにオリーブオイルを熱し、②を並べ入れて強火で両面焼く。焼き色がついたらふたをして、弱火で5分蒸し焼きにする。
④ Bを加えてハンバーグに絡めながら3分煮詰める。

Memo

- 酢が含まれるトマトケチャップを肉だねに入れることで防腐効果が高まり、日持ちがよくなります。
- トマトはグルタミン酸を多く含み、肉の臭みを消し、ジューシーなうまみがアップします。

@macaroni_news　水を使わずに煮込む、作りおきにもお弁当にもおすすめのおかず。

10/04

厚揚げとキャベツの甘辛炒め

#おつまみ　#お弁当　#ご飯がすすむ

野菜
フライパン

材料（2人分）

- 厚揚げ…300g
- 豚バラ肉（薄切り）…100g
- キャベツ…150g
- A
  - しょうゆ…大さじ½
  - みそ…大さじ1と½
  - 酒・みりん…各大さじ1
  - 砂糖…大さじ½
  - しょうが（すりおろし）…小さじ½
- ごま油…小さじ2

下ごしらえ

厚揚げ≫油を拭き取る
豚バラ肉≫3〜4cm幅に切る
A≫混ぜ合わせる

作り方

① フライパンにごま油を熱し、豚肉を炒める。
② 豚肉の色が変わったら、厚揚げを一口大にちぎりながら入れ、サッと混ぜる。
③ キャベツをちぎりながら加える。
④ Aを加え、全体に味を絡ませる。お好みで粗びき黒こしょうをふる。

Memo
■肉は豚こま肉など、お好みのもので作っても。

@macaroni_news　フライパンでパパッと作れるこってり味の炒めものです。

10/05

豚肉のはりはり鍋風

#ヘルシー　#簡単レシピ　#和風

肉
鍋

材料（2〜3人分）

- 豚ロース肉（しゃぶしゃぶ用）…200g
- 水菜…2株
- 長ねぎ…1本
- しめじ…1パック（100g）
- 油揚げ…1枚
- だし汁…600㎖
  （和風だしの素…大さじ1
  水…600㎖）
- A
  - しょうゆ・みりん…各大さじ2
  - 酒…大さじ2
  - 塩…小さじ½

下ごしらえ

水菜≫6cm長さに切る
長ねぎ≫1cm幅の斜め切り
しめじ≫ほぐす
油揚げ≫油抜きをして水気を拭き取り、5mm幅に切る

作り方

① 鍋にだし汁とAを入れてひと煮立ちさせる。豚肉、長ねぎ、しめじ、油揚げを加え、ふたをして3〜4分煮る。
② 肉の色が変わったら、水菜を加えてサッと煮る。

Memo
■水菜は最後に入れてシャキッとした食感を残します。
■締めはご飯やうどんで卵とじにするのがおすすめ。

@macaroni_news　本来はりはり鍋で使うくじら肉を豚肉にして、手軽なレシピに。

10/06

じゃこピーマンのおかか炒め

#スピード副菜　#ご飯のおとも　#お弁当

10min

魚　フライパン

材料（2〜3人分）

ちりめんじゃこ…30g
ピーマン…5個
赤とうがらし（輪切り）…3g
A 酒…大さじ1
　しょうゆ…大さじ1
　砂糖…小さじ1
ごま油…大さじ1
削り節…3g

下ごしらえ

ピーマン≫縦半分に切り、3㎜幅に切る

作り方

① フライパンにごま油を熱し、赤とうがらしを入れて弱火で1分炒める。ちりめんじゃこを加えて炒め、油が回ったらピーマンを入れて炒め合わせる。
② ピーマンがしんなりとしてきたらAを加えて、汁気がなくなるまで炒める。仕上げに削り節を加え、サッと混ぜ合わせる。

Memo
■ピーマンはしっかり炒めるとクタクタに、短時間で炒めると歯ごたえのある仕上がりになります。お好みの食感に仕上げてくださいね。

@macaroni_news　ピーマンが苦手なお子さまにもおすすめです。

10/07

パリパリほっくり大学かぼちゃ

#材料ひとつだけ　#作りおき　#お弁当

15min

野菜　フライパン

材料（3〜4人分）

かぼちゃ…400g
水…30㎖
砂糖…大さじ3
しょうゆ…大さじ1
サラダ油…大さじ1

下ごしらえ

かぼちゃ≫皮のまま食べやすい大きさに切る

作り方

① 耐熱ボウルにかぼちゃを入れ、ふんわりとラップをかけて電子レンジ600Wで5分、竹串がスッと通るくらいまで加熱する。
② フライパンにサラダ油を熱し、かぼちゃを入れ、全面に焼き色がつくまで焼き、取り出す。
③ フライパンをきれいにして、水、砂糖を入れて火にかける。砂糖が溶けたらしょうゆを加えて混ぜ合わせる。
④ ③にかぼちゃを戻し入れて煮絡め、お好みで黒ごまをかける。

Memo
■かぼちゃのパサつきが気になるときは、電子レンジで加熱する前に霧吹きで水を吹きかけてください。
■砂糖をはちみつに替えるとコクが出て、違ったおいしさが楽しめます。

@macaroni_news　かぼちゃを最初にレンチンするので、時短で作れます。

10/08

みそだれバウムとんかつ

#がっつりメニュー　#お弁当　#ご飯がすすむ

35min

フライパン　肉

材料（2人分）

豚ロース肉（薄切り）…300g
長ねぎ…½本
塩・こしょう…各少々
焼きのり…1と½枚
薄力粉…適量
卵…1個
パン粉…適量
揚げ油…適量
〈みそだれ〉
みそ・水…各大さじ2
砂糖…大さじ1と½
酒…大さじ1
みりん…大さじ½
和風だしの素…小さじ¼

作り方

①小鍋にみそだれの調味料をすべて入れて混ぜ合わせ、火にかける。ひと煮立ちしたら弱火にし、焦げないように注意しながらとろみが出るまで加熱する。

②豚肉に塩・こしょうで下味をつける。ラップを広げ、その上に長方形になるように、豚肉を重ねながら並べる。

③②にのりをのせ、手前から2㎝あけて長ねぎをのせたら、手前からきつく巻く。ラップごとキャンディのように包み、全体を押さえつけて5〜10分ほど置き、なじませる。

④ラップを外し、薄力粉、溶きほぐした卵、パン粉の順に衣をつける。

⑤フライパンに揚げ油を170℃に熱し、④を転がしながらきつね色になるまで7〜8分揚げる。バットに上げ、3〜4分ほど置いたら食べやすい厚さに切り、みそだれをかける。お好みで白いりごまをちらす。

@macaroni_news　薄切りの豚ロース肉で、隙間ができないようにきつく巻くのがコツです。

10/09

甘辛スティックチキンごぼう

#作りおき★　#お弁当　#おつまみ

肉　フライパン

材料（2～3人分）

ごぼう…½本
鶏むね肉…1枚
酒…大さじ1
砂糖…小さじ½
片栗粉…適量
A しょうゆ…大さじ3
A みりん…大さじ3
A 砂糖…大さじ2
揚げ油…適量
白いりごま…大さじ1

下ごしらえ

ごぼう≫4cm長さに切ったら縦半分に切り、水にさらす
鶏むね肉≫1cm厚さのそぎ切りにして、1cm幅のスティック状に切る

作り方

1. ボウルに鶏肉、酒、砂糖を入れて揉み、15分ほど漬ける。
2. ①、ごぼうにそれぞれ片栗粉をまぶす。
3. フライパンに2cm深さの揚げ油を170℃に熱し、②を揚げる。
4. 別のフライパンにAを入れて煮立たせ、③を加えて煮絡め、白ごまを入れて混ぜ合わせる。

Memo
■鶏むね肉に砂糖を揉み込むことでしっとりと仕上がります。

@macaroni_news　濃いめの味つけで、お弁当にもおつまみにもぴったり。

10/10

鶏むね肉の塩麹唐揚げ

#ご飯がすすむ　#お弁当　#おつまみ

肉　フライパン

材料（2～3人分）

鶏むね肉…1枚（300g）
A 塩麹…大さじ2
A しょうゆ…大さじ½
A 砂糖…小さじ1と½
A にんにく（すりおろし）…小さじ½
A しょうが（すりおろし）…小さじ½
卵…1個
片栗粉…大さじ5
揚げ油…適量

下ごしらえ

鶏むね肉≫一口大に切る

作り方

1. ボウルに鶏肉とAを入れ混ぜ合わせて、30分ほど漬け込む。
2. 溶き卵を加えて揉み込み、片栗粉を加えてよく混ぜ合わせる。
3. フライパンに揚げ油を170℃に熱し、②をカリッとするまで揚げる。お好みでレモンを添える。

Memo
■時間がある際は、ひと晩漬け込むとより味が染み込みます。
■鶏もも肉に替えてもおいしく作ることができます。

@macaroni_news　時間がたっても柔らかジューシーな仕上がりで、さめてもおいしいです。

10/11

きゅうりの旨辛だれ

#作りおき　#ご飯のおとも　#加熱なし

5 min

材料（3～4人分）

きゅうり…2本
長ねぎ…20g
大葉…5枚
A
しょうゆ…大さじ4
酢…大さじ3
ごま油…大さじ3
砂糖…大さじ1
白いりごま…大さじ1
コチュジャン…小さじ2

下ごしらえ

きゅうり≫1cm角に切る
長ねぎ≫みじん切り
大葉≫せん切り

作り方

① ボウルにAを入れて混ぜ合わせる。長ねぎ、大葉を加えてさらに混ぜる。
② 保存容器にきゅうりを入れ、①を注ぎ入れる。

Memo
■完成後すぐでもおいしいですが、味が染み込むとさらにおいしく食べられます。
■そうめんのつけだれとして、また肉などにかけてもよく合います。

野菜
なし

@macaroni_news　角切りきゅうりをコチュジャンのきいたピリ辛だれに漬けるだけ！

10/12

サクサクひとくちチーズボール唐揚げ

#お弁当　#おもてなし　#おやつにも

20 min

材料（3～4人分）

鶏むね肉…2枚
ピザ用チーズ…120g
しょうゆ…大さじ1
砂糖…小さじ2
酒…小さじ2
みりん…小さじ2
片栗粉…適量
揚げ油…適量

下ごしらえ

鶏むね肉≫観音開きにしてラップをかぶせ、めん棒でたたいて5mm厚さにのばし、8等分に切る
ピザ用チーズ≫16等分して丸める

作り方

① ボウルに鶏肉、しょうゆ、砂糖、酒、みりんを入れて揉み込み、5分置く。
② ①にピザ用チーズをのせて包み、片栗粉をまぶす。
③ フライパンに1・5cm深さの揚げ油を180℃に熱し、②を入れて全体がきつね色になるまで揚げる。

Memo
■鶏肉はたたきすぎると穴があいてチーズを包めなくなるので、5mmほどの厚さになるように調整してください。
■鶏肉が柔らかい場合は、チーズを包んだ後冷蔵庫で10分ほど寝かせてください。

肉
フライパン

@macaroni_news　食べた瞬間に、中からとろりとチーズが！　パーティーにもぴったり。

10/13

チーズ豚キムチのホイル焼き

#簡単レシピ　#おつまみ　#ご飯がすすむ

肉
トースター

材料（1人分）

白菜キムチ…100g
豚バラ肉（薄切り）…80g
もやし…40g
ニラ…30g
ピザ用チーズ…30g
白いりごま…適量

下ごしらえ

豚バラ肉≫3cm幅に切る
ニラ≫4cm長さに切る

作り方

①ボウルにキムチと豚肉を入れて混ぜ合わせる。
②アルミホイルを広げ、手前半分にもやし、ニラ、①、ピザ用チーズの順にのせる。アルミホイルを半分に折り、手前と両端を3回ずつ折り込む。
③200℃のトースターで12〜15分加熱する。仕上げに白ごまをかける。

Memo
■レシピではトースターで加熱しましたが、フライパンで加熱する場合は中火で8〜10分を目安に焼いてください。
■肉の下に敷いた野菜の蒸気で肉が加熱され、しっとりとした食感になります。

@macaroni_news　ピリ辛豚キムチにチーズを絡めて食べるとおいしいです。

10/14

パリパリチキンソテー

#基本のレシピ　#材料ひとつだけ

肉
フライパン

材料（1人分）

鶏もも肉…1枚（250g）
塩・こしょう…各少々
サラダ油…大さじ1

下ごしらえ

鶏もも肉≫室温に戻す

作り方

①鶏肉の両面に塩・こしょうをふる。
②フライパンにサラダ油を熱し、鶏肉を皮目から入れて焼く。上からぎゅっと押さえながら、皮がカリカリになるまで焼く。
③裏返して弱火で5分ほど焼く。

Memo
■鶏もも肉はフライ返しなどで上からぎゅっと押さえつけるようにして焼くと、皮にきれいな焼き目がつき、パリパリとした食感になります。
■にんにくやバターを加えて焼いてもおいしく仕上がるのでおすすめです。

@macaroni_news　洋食屋さんみたいに、パリッとジューシーに仕上げます。

20min

10/15

白身魚のフライ

#がっつりメニュー　#お弁当

魚
フライパン

材料（2人分）

たら…4切れ
塩・こしょう…各少々
薄力粉…適量
卵…1個
パン粉…適量

A
ゆで卵…1個
玉ねぎ…¼個
マヨネーズ…大さじ3
粒マスタード…小さじ1
レモン果汁…少々
塩・こしょう…各少々

揚げ油…適量

下ごしらえ

ゆで卵・玉ねぎ≫みじん切り

作り方

① たらは余分な水分を拭き取り、塩・こしょうを両面にふる。薄力粉、溶きほぐした卵、パン粉の順にまぶす。
② 180℃の揚げ油に、①のたらを入れて2分揚げる。周りがきつね色になったら、裏返してさらに2分揚げる。
③ ボウルにAを入れて混ぜ合わせ、器に盛った②にかける。

Memo
■薄力粉はまぶしたら一度よくはらい、パン粉をつけやすくします。

@macaroni_news たらは皮目から高温で揚げると、外はサクッと中はふっくらに。

15min

10/16

大鶏排《ダージーパイ》

#材料ひとつだけ　#おつまみ　#おやつにも

肉
フライパン

材料（2人分）

鶏むね肉…1枚（250g）

A
酒・みりん…各大さじ2
しょうゆ…大さじ1と½
砂糖…小さじ2
にんにく（すりおろし）…小さじ1
しょうが（すりおろし）…小さじ1
五香粉…小さじ½

白玉粉・片栗粉…各30g
揚げ油…適量

下ごしらえ

鶏むね肉≫皮を取り除き、観音開きにする。ラップを重ね、めん棒でたたいて薄くのばす

作り方

① ボウルにAを入れて混ぜ合わせ、鶏肉を入れて1時間漬け込む。
② バットに白玉粉と片栗粉を入れて混ぜ、①にまぶす。
③ フライパンに揚げ油を170℃に熱し、②を入れる。中に火が通るまで裏返しながら7分ほど揚げる。

Memo
■鶏むね肉はたたくことで薄く大きくなり、サクッとした食感に。
■大きい鶏むね肉の場合は、薄くたたきのばした後に2等分にしてください。

@macaroni_news ザクザク食感が楽しい台湾風唐揚げです。

10/17

肉厚しいたけつくね

#お弁当　#おつまみ　#和風

⏱30min

フライパン　きのこ

材料（2人分）

しいたけ…8個
鶏ひき肉…150g
長ねぎ…½本
薄力粉…適量
しょうが（すりおろし）…小さじ½
塩…小さじ⅓
片栗粉…大さじ1
酒…大さじ1
A
みりん…大さじ3
しょうゆ…大さじ2
酒…大さじ1
砂糖…大さじ½
ごま油…大さじ1

下ごしらえ

しいたけ≫かさは花模様に飾り切りし、軸はみじん切り
長ねぎ≫みじん切り

作り方

① しいたけのかさの内側に薄力粉を薄くまぶす。
② ボウルにひき肉、長ねぎ、しいたけの軸、しょうが、塩、片栗粉を入れてよくこねる。①に詰め、空気を抜いて表面を平らにする。
③ フライパンにごま油を熱し、②の肉の面を下にして並べ入れ、3分焼く。焼き色がついたら裏返して酒を加え、ふたをして弱火で5分蒸し焼きにする。
④ ふたを開けて再び裏返し、Aを加え、照りが出るまで煮絡める。お好みで卵黄を添える。

Memo

■ 鶏ひき肉は調味料を加えて粘りが出るまでよく混ぜると、ジューシーに仕上がります。

@macaroni_news　卵黄につけて食べてもおいしい、照り焼きの味つけです。

10/18

基本のかぼちゃサラダ

#基本のレシピ　#お弁当　#おつまみ

野菜　レンジ

材料（3〜4人分）
かぼちゃ…1/2個
玉ねぎ…1/2個
マヨネーズ…大さじ2
塩・こしょう…各少々

下ごしらえ
かぼちゃ≫皮のまま一口大に切る
玉ねぎ≫繊維に沿って薄切り

作り方
① 耐熱容器にかぼちゃを入れ、ふんわりとラップをかけて電子レンジ600Wで5分加熱し、粗熱を取る。玉ねぎも同様にして1分加熱し、水気を拭き取り、粗熱を取る。
② ボウルにかぼちゃ、玉ねぎ、マヨネーズを入れてつぶしながら混ぜ合わせる。塩・こしょうで味をととのえる。

Memo
■かぼちゃと玉ねぎの粗熱を取ることでマヨネーズの分離を防ぎます。
■かぼちゃが硬い場合は、切る前にラップで包み、電子レンジ600Wで2分ほど加熱してください。
■お好みで焼いたベーコンやミックスナッツなどを加えても。

@macaroni_news　秋の定番、かぼちゃサラダを玉ねぎとマヨネーズでシンプルに。

10/19

れんこんの明太チーズグラタン

#おもてなし　#おつまみ

野菜　トースター

材料（2〜3人分）
れんこん…400g
玉ねぎ…1/4個
ホワイトマッシュルーム…2個
明太子…1本
牛乳…200mℓ
塩…少々
バター（有塩）…10g
ピザ用チーズ…20g

下ごしらえ
れんこん≫半量はすりおろし、残り半量は1cm厚さのイチョウ切りにし、酢水（分量外）にさらし、水気を切る
玉ねぎ、マッシュルーム≫薄切り
明太子≫薄皮を取り除き、ほぐす

作り方
① 耐熱容器にイチョウ切りのれんこんを入れ、濡らしたキッチンペーパーをかぶせてふんわりとラップをかけて電子レンジ600Wで2分加熱する。
② フライパンにバターを熱し、玉ねぎ、マッシュルームをしんなりするまで炒める。
③ ②にすりおろしたれんこん、牛乳、塩を入れて混ぜ合わせ、粘り気が出たら明太子を加えて混ぜる。
④ ③を①の容器に流し入れ、チーズをかけてトースター200℃で10分加熱する。お好みでパセリをかける。

@macaroni_news　小麦粉いらずのレシピです。明太子をたらこにしてもおいしいです。

10/20

チキンチキンごぼう

#お弁当　#おつまみ　#ご飯がすすむ

肉　フライパン

材料（1人分）

鶏もも肉…120g
ごぼう…50g
枝豆（むき身）…20g
塩・こしょう…各少々
片栗粉…適量
A
砂糖…小さじ2
しょうゆ…小さじ2
酒・みりん…各小さじ2
揚げ油…適量

下ごしらえ

鶏もも肉≫余分な皮と脂を取り除き、一口大に切る
ごぼう≫斜め薄切りにし、酢水（分量外）にさらし、水気を拭き取る

作り方

① 鶏肉は塩・こしょうをふり、片栗粉をまぶす。ごぼうは片栗粉をまぶす。
② フライパンに揚げ油を170℃に熱し、ごぼうを入れ、カラッと揚げて取り出す。
③ 同じフライパンに、鶏肉を入れこんがりときつね色になるまで揚げる。
④ 別のフライパンにAを入れてひと煮立ちさせて火を止めたら、②、③を入れて絡め、枝豆を加えてあえる。

Memo
■鶏肉とごぼうが熱いうちにAに絡めるのがポイントです。

@macaroni_news　山口県の学校給食メニューで人気になったご当地レシピです。

10/21

大根とこんにゃくのしみしみ煮

#和風　#レンチン　#簡単レシピ

野菜　レンジ

材料（2人分）

こんにゃく…200g
大根…250g
砂糖…大さじ1
A
だし汁…200mℓ
（和風だしの素…小さじ1
水…200mℓ）
しょうが（すりおろし）…1かけ分
しょうゆ…大さじ1と1/2
酒・みりん…各大さじ1
削り節…5g

下ごしらえ

こんにゃく≫3mm幅に切り、それぞれ真ん中に切り込みを入れて片方を通してねじる
大根≫5mm厚さのイチョウ切り

作り方

① ボウルにこんにゃくと砂糖を入れて揉み込み、5分置いて水気を絞る。
② 耐熱容器に大根を入れてふんわりとラップをかけて電子レンジ600Wで6分加熱する。
③ ②に①とAを加えて混ぜ、ふんわりとラップをかけて電子レンジ600Wで10分加熱する。仕上げに削り節を混ぜ合わせ、お好みで青ねぎをちらす。

@macaroni_news　こんにゃくは砂糖で揉み、加熱すると臭みや水分が抜けておいしくなります。

10/22

超絶ジューシー豚こま角煮

#ご飯がすすむ　#節約レシピ　#和風

30min

鍋　肉

材料（3～4人分）

豚こま肉…300g
かぶ…2個
玉ねぎ…1個
ゆで卵…2個
酒…大さじ1
片栗粉…大さじ2
A
水…300mℓ
しょうゆ…大さじ3
酒・みりん…各大さじ2
砂糖…大さじ1
しょうが…12g
長ねぎ（青い部分）…1本分
サラダ油…適量

下ごしらえ

豚肉≫酒、片栗粉を揉み込む
かぶ、玉ねぎ≫4等分のくし形切り
しょうが≫薄切り

作り方

① ラップの上に、大きめの豚肉を広げ、小さめの豚肉をのせる。さらに大きめの豚肉をのせてラップで全体を包んで形を長方形にととのえる。片栗粉（分量外）を全面にまぶす。
② フライパンにサラダ油を強火で熱し、①の全面に焼き色をつけ、半分に切る。
③ 鍋にAを入れて火にかけ、沸いたら火を弱めて②、かぶ、玉ねぎを加える。落としぶたをして15分煮たら火を止め、ゆで卵を加えて味を染み込ませる。お好みでゆでたほうれん草を添える。

Memo
■豚こま肉に片栗粉をまぶしておくことで崩れにくくなります。

@macaroni_news　時短＆コスパ最強！　ぎゅっとまとめた豚こま肉でジューシーに。

10/23

しいたけのチーズ焼き

#おつまみ　#スピード副菜　#簡単レシピ

きのこ

トースター

10min

材料（1～2人分）

しいたけ…6個
しょうゆ…適量
ピザ用チーズ…30g
乾燥パセリ…適量

下ごしらえ

しいたけ≫軸を切り落とし、軸を半分にさく

作り方

① トースターの天板にアルミホイルを敷き、しいたけのかさを並べる。
② かさの上に軸をのせ、しょうゆをかけ、ピザ用チーズをのせる。
③ 200℃のトースターで5分焼き、パセリをふる。

Memo
■焼き時間は様子を見て調整してください。

@macaroni_news　軸までおいしく食べられる、簡単トースターレシピです。

10/24

鶏むね豆苗もやしの旨塩ナムル

#スピード副菜　#レンチン　#節約レシピ

野菜

レンジ

15min

材料（3～4人分）

鶏むね肉…1枚
A 酒…大さじ1
　砂糖…小さじ1
　塩…小さじ$\frac{1}{4}$
豆苗…1パック
もやし…$\frac{1}{2}$袋
B ごま油…大さじ1
　にんにく（すりおろし）…小さじ$\frac{1}{2}$
　鶏ガラスープの素…小さじ$\frac{1}{2}$
　塩…少々

作り方

① 鶏肉を耐熱容器に入れ、Aを揉み込む。フォークで数か所刺し、ふんわりとラップをかけて電子レンジ600Wで3分加熱し、そのまま余熱で火を通す。さめたら手でさく。
② 耐熱ボウルに豆苗、もやしを入れてふんわりとラップをかけて電子レンジ600Wで2分加熱し、水気を切る。
③ ②に①とBを加えて混ぜ合わせ、塩で味をととのえる。仕上げにお好みで黒こしょう、白ごまをふる。

Memo
■鶏肉はさめるまでしっかり置いて、余熱で火を通します。

@macaroni_news　節約食材の鶏むね肉、豆苗、もやしがやみつきおかずに！

10/25

鶏むね肉とれんこんののり塩つくね

#お弁当　#おつまみ　#作りおき★

肉
フライパン

材料（2～3人分）

鶏むね肉…1枚
れんこん…2節（200g）
A
片栗粉…大さじ2
粉チーズ…大さじ1と1/2
マヨネーズ…大さじ1
酒…大さじ1
青のり…小さじ2
塩…小さじ1/3
サラダ油…大さじ1
酒…小さじ2

下ごしらえ

鶏むね肉≫粗みじん切り
れんこん≫ポリ袋に入れてめん棒などでたたく

作り方

① ボウルに鶏肉、れんこん、Aを入れて粘りが出るまで混ぜ合わせる。
② フライパンにサラダ油を熱し、スプーンですくい取った①を入れて焼く。片面に焼き色がついたら裏返し、酒を加えふたをして、弱火で5分ほど蒸し焼きにする。

Memo
■成形しにくい場合は、片栗粉を少し足してください。
■あまり触らずじっくり焼くと崩れにくいです。

@macaroni_news れんこんの食感がたまらない！　追い青のり＆塩をして食べても。

10/26

ぷちぷちコーンの洋風がんもどき

#節約レシピ　#おつまみ

その他
フライパン

材料（2～3人分）

木綿豆腐…300g
コーン缶…1缶（85g）
長いも…50g
ハーフベーコン（薄切り）…4枚
パセリ（みじん切り）…小さじ2
A
片栗粉…大さじ4
鶏ガラスープの素…小さじ1
塩・こしょう…各少々
揚げ油…適量

下ごしらえ

長いも≫すりおろす
ベーコン≫粗みじん切り

作り方

① 豆腐をキッチンペーパーに包んで耐熱容器にのせ、ラップはかけずに電子レンジ600Wで2分加熱し、重しをのせて3分水切りをする。
② ボウルに①を入れ、なめらかになるまでつぶし、コーン、長いも、ベーコン、パセリ、Aを加えてよく混ぜ合わせ、5～6等分に丸く成形する。
③ フライパンに1cm深さの揚げ油を170℃に熱し、②を入れ、両面がきつね色になるまで揚げ焼きにする。お好みでカレー塩を添える。

Memo
■手やスプーンに少量の油を塗ると、成形しやすいです。

@macaroni_news コーンやベーコンと相性ばつぐんのピザ用チーズを混ぜ込んでも。

10/27

高野豆腐キッシュ

#ヘルシー　#洋風

20min

その他

トースター

材料（4個分）

高野豆腐…2枚
ベーコン（薄切り）…2枚
玉ねぎ…¼個
しめじ…20g
水…200㎖
コンソメスープの素…小さじ1
塩・こしょう…各少々
A ─卵…1個
　─牛乳・粉チーズ…各大さじ2
バター…15g
ピザ用チーズ…30g

下ごしらえ

ベーコン≫1cm幅に切る
玉ねぎ≫薄切り
しめじ≫小房に分ける
A≫混ぜ合わせる
耐熱皿の内側にバター（分量外）を塗る

作り方

① 耐熱容器に水とコンソメを入れ、ラップはかけずに電子レンジ600Wで1分加熱し、コンソメを溶かす。高野豆腐を加え3分ほど浸し、水気をしっかりと切り、横半分に切る。
② フライパンにバターを熱し、ベーコン、玉ねぎ、しめじを炒め、塩・こしょうをふる。全体がしんなりしたら火から下ろす。
③ 耐熱皿に①と②を入れ、Aを注ぎ入れる。チーズをのせ200℃のトースターで7分ほど焼く。

@macaroni_news　高野豆腐をコンソメで戻して豆臭さをやわらげるのがポイント。

10/28

まるごとかぼちゃのチーズ肉詰め

#おもてなし　#簡単レシピ　#洋風

30min

野菜

トースター

材料（2〜3人分）

かぼちゃ（小）…1個
合いびき肉…150g
玉ねぎ…¼個
みそ…小さじ1
塩・こしょう…各少々
ピザ用チーズ…30g
パン粉…小さじ2
バター…10g

下ごしらえ

玉ねぎ≫みじん切り

作り方

① かぼちゃはラップで包み、電子レンジ600Wで4分加熱する。上部を切り落とし、種をくり抜く。
② ボウルにひき肉、玉ねぎ、みそ、塩・こしょうを入れ、粘り気が出るまでよくこねる。
③ ①のかぼちゃに②の半量、チーズ、残りの②を順に詰め、パン粉とバターをのせる。
④ トースターで15分焼く。

Memo

■合いびき肉は粘り気が出るまでよくこねるとおいしくなります。
■レシピでは肉だねの隠し味にみそを使いましたが、ナツメグやコンソメスープの素を入れてもおいしいです。

@macaroni_news　坊ちゃんかぼちゃという手のひらサイズのかぼちゃを使うのがおすすめ。

10/29

ごぼうチーズピザ

#簡単レシピ　#おつまみ

20min

野菜　トースター

材料（2～3人分）

ごぼう…1本
ツナ缶…1缶
和風だしの素…小さじ1
ピザ用チーズ…40g
粉チーズ…大さじ2
ごま油…大さじ1
青ねぎ…適量

作り方

① ごぼうはピーラーでスライスし、水に10分ほどさらし、水気をしっかり拭き取る。
② トースターの天板にアルミホイルを広げてごま油を塗り、①を敷きつめる。
③ 和風だしの素をふりかけ、ツナをちらす。その上にピザ用チーズ、粉チーズの順にかけ、トースターで10～15分焼く。食べやすい大きさに切り、青ねぎをちらす。

Memo
■トースターは1000Wのものを使用しています。
■のせる具材はお好みでアレンジしてみてください。

@macaroni_news　ピーラーでスライスしたごぼうをピザ生地にします。

10/30

ピリ辛よだれ焼きねぎ

#材料ひとつだけ　#作りおき　#おつまみ

15min

野菜　フライパン

材料（2～3人分）

長ねぎ…2本
A
しょうゆ…大さじ1
にんにく（すりおろし）…1かけ分
しょうが…1かけ
砂糖…小さじ1
ラー油…小さじ1
ごま油…大さじ1
酢…大さじ2
白いりごま…小さじ1

下ごしらえ

長ねぎ≫3cm長さに切り、斜めに3か所ずつ切り込みを入れる
しょうが≫みじん切り

作り方

① フライパンにごま油を熱し、長ねぎを入れ、転がしながら全体に焼き色がつくまで焼く。ふたをして3分蒸し焼きにして取り出す。
② フライパンをきれいにしてAを入れてひと煮立ちさせ、酢を加えて混ぜる。熱いうちに①にかけ、白ごまをふる。

Memo
■長ねぎをじっくり蒸し焼きにすると、より甘みが増しておいしくなります。しっかり食感を残したい場合は、加熱時間を短くしてください。

@macaroni_news　ねぎだけで作る、ねぎ好きのためのレシピです。

10/31

切り干し大根チヂミ

#おつまみ　#作りおき　#粉もの

15min

フライパン　野菜

材料（3人分）

切り干し大根…60g
青ねぎ…30g
溶き卵…1個分
切り干し大根の戻し汁…100mℓ
A 薄力粉…60g
片栗粉…30g
鶏ガラスープの素…小さじ1
塩…少々
サラダ油…大さじ1
ごま油…大さじ½
B しょうゆ…大さじ1
酢…大さじ1

下ごしらえ

青ねぎ≫5cm長さに切る

作り方

① ボウルに切り干し大根と水（分量外）をかぶる程度入れて戻し、水を切る（戻し汁は100mℓ取っておく）。
② ボウルにAを混ぜ合わせ、切り干し大根、青ねぎを加えて混ぜ合わせる。
③ フライパンにサラダ油を熱し、②を全量流し入れて焼く。3分したら裏返し、ふたをしてさらに3分焼く。
④ ごま油を回し入れ、強火で表面がカリッとするまで焼く。食べやすい大きさに切り、混ぜ合わせたBを添える。

Memo

- 切り干し大根はしっかり水気を絞ってください。
- 切り干し大根が長い場合は、食べやすい長さに切ってください。

@macaroni_news　切り干し大根を使って、ボリューミーに仕上げます。

Column 8

おいしく・安全に
作りおきのルール

この本では作りおきができるおかずがたくさん出てきます。
作りおきは便利でいつでもおいしくおかずが食べられる反面、
正しく取り扱わないと食中毒になる恐れも。
より安全に、おいしく活用するためのルールを知っておきましょう。

調理

肉・魚類は しっかり火を通す

肉や魚の生焼けは食中毒のもと。保存期間中に菌が繁殖しないように中までしっかり加熱しましょう。新鮮な食材を使うことも、大切なポイントのひとつです。傷みはじめた食材を作りおきにするのは避けましょう。

保存

さまして 保存容器へ

料理が完成して温かい状態が続くと傷みの原因に。また、温かいまま冷蔵庫に入れると庫内の温度が上がってしまうのと、結露によって発生した水分が傷みの原因になってしまうので必ず粗熱を取ってから保存容器に入れて冷蔵庫へ。

保存

清潔な 保存容器を使う

おかずの保存や取り分けに使う容器やカトラリーはアルコールスプレー（キッチン用）で消毒したり、煮沸消毒をしたりしておきましょう。容器に水分が残っていると傷みの原因になるのでしっかり拭き取って。

保存

空気になるべく 触れないように

保存中、おかずが空気に触れると酸化により傷みが早くなります。きちんとふたをして保存しましょう。冷蔵庫から出したり、しまったりを繰り返さなくてもすむよう1回分ずつに小分けして保存をしても。

⚠ この本で紹介している作りおきにもできるおかずの保存期間は冷蔵庫で2～3日、下味冷凍のおかずは冷蔵庫で2週間が目安です。冷蔵庫・冷凍庫内の状況や季節によって変わりますので、食べる前に状態をしっかり確認し、なるべく早めに食べ切ってください。

保存

再冷凍・再保存はしない

冷凍作りおきおかずは解凍したら食べ切ります。また、冷凍でなくても手をつけたおかずを再度保存するのはNG。冷凍するときは、一度で食べ切れる量を小分けにしてから保存し、食べる分だけ解凍しましょう。

お弁当

アツアツに加熱&しっかりさまして

お弁当に作りおきおかずを入れるときは、しっかり加熱してしっかりさましてから、清潔なカトラリーを使ってお弁当箱へ詰めましょう。持ち運ぶときは、保冷剤と一緒にし、涼しい環境を保ってなるべく傷まないようにしましょう。

保存容器早見表

	電子レンジ	オーブン（トースター）	直火	IH	冷凍	特徴
ホーロー容器	NG	OK	OK	OK	OK	においや色がつきにくい。
ガラス容器	OK	OK	NG	NG	NG	電子レンジでも使える！
プラスチック容器	OK	NG	NG	NG	OK	安価でバリエーションが多く、手軽。

※商品によって使用できる環境に違いがある場合があります。商品説明に沿った使い方をしてください。

11/01

豚バラとキャベツのもつ鍋風

#簡単レシピ　#和風

20min

鍋　肉

材料（2～3人分）

豚バラ肉（薄切り）…200g
キャベツ…1/2個
もやし…1袋
ニラ…1束
にんにく…2かけ
赤とうがらし（輪切り）…適量
水…800mℓ
A
みそ…50g
砂糖…40g
しょうゆ…大さじ3
鶏ガラスープの素…大さじ2
オイスターソース…小さじ2
豆板醤…小さじ1
ごま油…小さじ1

下ごしらえ

豚バラ肉》2cm幅に切る
キャベツ》ざく切り
ニラ》5cm長さに切る
にんにく》薄切り

作り方

① 鍋にごま油とにんにくを入れて熱し、香りが立ったら水とAを加える。
② 豚肉、キャベツ、もやしを加えてふたをして、弱火で煮込む。アクが出てきたら取り除く。
③ 豚肉に火が通ったらニラを並べ入れ、赤とうがらしをのせる。お好みで白いりごまをかける。

Memo

- にんにくは焦げやすいので弱火でじっくり香りを出してください。
- 豆板醤、赤とうがらしの量を調節してお好みの辛さにしてください。

@macaroni_news　もつ鍋風の味つけに。もつの下処理不要なのでコツいらずで簡単。

11/02

かぼちゃチーズ焼き

#おつまみ　#簡単レシピ

⏱20 min

野菜　トースター

材料（2人分）

かぼちゃ…1/4個（350g）
ベーコン（薄切り）…2枚
ピザ用チーズ…20g
塩・こしょう…各少々
オリーブオイル…大さじ1

下ごしらえ

かぼちゃ≫皮つきのまま7mm厚さの薄切り
ベーコン≫1cm幅に切る

作り方

① 耐熱皿にかぼちゃを少しずつずらして並べ、ふんわりとラップをかけて電子レンジ600Wで5分加熱する。
② ①にベーコン、塩・こしょう、チーズをのせて、オリーブオイルを回しかける。200℃のトースターで10分、焼き色がつくまで焼く。お好みでパセリをちらす。

Memo
■かぼちゃは厚さを揃えて切り、レンジ加熱するときに平らに並べることで、均等に火が通りやすくなります。

@macaroni_news 味つけは塩・こしょうのみ！　かぼちゃの味が引き立ちます。

11/03

鶏団子と白菜の具だくさん中華スープ

#ヘルシー　#中華風

⏱15 min

肉　鍋

材料（2人分）

鶏ひき肉…100g
れんこん…30g
豆腐…150g
白菜…1/8個（150g）
しいたけ…1枚
A
片栗粉…大さじ1
酒…小さじ2
しょうゆ…小さじ1
しょうが（すりおろし）…1かけ
塩・こしょう…各少々
だし汁…400㎖
（中華だしの素…小さじ1と1/2
水…400㎖）
B
しょうゆ…大さじ1/2
塩・こしょう…各少々

下ごしらえ

れんこん≫みじん切り
豆腐≫一口大の角切り
白菜≫2cm幅に切る
しいたけ≫薄切り

作り方

① ボウルにひき肉、れんこん、Aを入れて粘りが出るまでこねる。
② 鍋にだし汁を入れ、沸いたら①をスプーン2本を使い丸めながら入れ、3分加熱する。鶏団子に火が通ったら豆腐、白菜、しいたけ、Bを加え、さらに5分加熱する。

@macaroni_news 鶏団子にしっかり味つけをしているので、食べごたえ満点です。

11/04

豚こま肉の照り焼きチーズボール

#お弁当　#おもてなし　#おつまみ

肉　フライパン

20min

材料（3～4人分）

豚こま肉…250g
ピザ用チーズ…50g
塩・こしょう…各少々
片栗粉…適量
A ─ しょうゆ…大さじ1と1/2
　　粒マスタード…大さじ1
　─ 砂糖・酒・みりん…各大さじ1
オリーブオイル…大さじ1

作り方

① 豚肉は塩・こしょうで下味をつけたら1枚ずつ広げ、チーズを包むように丸め、片栗粉をまぶす。
② フライパンにオリーブオイルを熱し、①を転がしながら焼く。
③ 焼き色がついたらAを加え、水分がなくなるまで煮詰める。お好みでパセリをちらす。

Memo

■豚こま肉でチーズを包むときは、チーズのはみ出た部分肉でを覆い隠すように包んでください。
■焼いている途中でチーズが溢れ出してもOKです。調味料と一緒に転がしながら煮詰めてくださいね。

@macaroni_news　隠し味のマスタードが味の決め手！

11/05

トマト鍋

#洋風　#簡単レシピ

野菜　鍋

30min

材料（2～3人分）

鶏もも肉…1枚（350g）
トマト…1個
玉ねぎ…1個
しめじ…1パック（100g）
ブロッコリー…1/2株
ウインナー…4本
にんにく（みじん切り）…1かけ分
塩・こしょう…各少々
A ─ カットトマト缶…1缶（400g）
　　水…300ml
　　コンソメスープの素…大さじ1
　─ 塩…小さじ1/2
ピザ用チーズ…30g
オリーブオイル…大さじ1

下ごしらえ

鶏もも肉≫一口大に切る
トマト、玉ねぎ≫くし形切り
しめじ、ブロッコリー≫小房に分ける

作り方

① 鍋にオリーブオイルを熱し、にんにくを入れて香りが立ったら、塩・こしょうで下味をつけた鶏肉を炒める。焼き色がついたら、玉ねぎを加えて炒める。
② Aを入れて煮立たせて、アクを取り、しめじ、ブロッコリー、ウインナーを並べ入れ、ふたをして5分煮込む。
③ トマト、ピザ用チーズをのせ、チーズが溶けるまで煮込む。

@macaroni_news　締めはご飯を入れて、うまみたっぷりのトマトリゾットに。

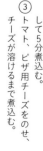

11/06

たっぷりねぎの豚バラ焦がしょうゆ炒め

#ご飯がすすむ　#おつまみ

肉　フライパン

材料（2人分）

豚バラ肉（薄切り）…300g
長ねぎ…3本
塩・こしょう…各少々
A
- 酒…大さじ1
- 鶏ガラスープの素…小さじ1
- 塩…ひとつまみ
- こしょう…少々

しょうゆ…大さじ1と½
ごま油…大さじ1

下ごしらえ

豚バラ肉≫5cm幅に切る
長ねぎ≫2本は1cm幅の小口切り、1本はみじん切り

作り方

① 豚肉は、塩・こしょうで下味をつける。
② フライパンにごま油を熱し、小口切りの長ねぎを炒める。しんなりしたら豚肉を加え、焼き色がつくまで炒める。
③ Aを入れて混ぜ合わせたら強火にし、鍋肌からしょうゆを加えてサッと炒め合わせる。仕上げにみじん切りの長ねぎをのせる。

Memo

- 長ねぎは加熱するとしんなりするので、3本使ってもぺろりと食べられます。
- しょうゆはフライパンの鍋肌で焦がしてから炒め合わせると、香ばしく仕上がります。

@macaroni_news　炒めた長ねぎだけでなく、最後にみじん切りものせて仕上げます。

11/07

小さいしいたけの佃煮

#作りおき★　#ご飯のおとも　#お弁当

きのこ　鍋

材料（2〜3人分）

しいたけ…200g
しょうが…2かけ
A
- 水…100ml
- 酒…大さじ3
- 砂糖…大さじ2
- しょうゆ…大さじ2
- みりん…大さじ2

酢…小さじ1

下ごしらえ

しいたけ≫軸を取る
しょうが≫せん切り

作り方

① 鍋にしいたけ、しょうが、Aを入れて煮立たせ、落としぶたをして弱火で20分ほど煮る。
② 汁気がなくなるまで煮たら、酢を加えて混ぜる。

Memo

- レシピでは、小さめのしいたけを使用しています。大きめのしいたけの場合は薄切りしてから作っても。
- 最後に酢を加えると味が締まります。
- お好みで山椒をふりかけるのもおすすめです。

@macaroni_news　しょうがと甘辛く煮込んだしいたけはご飯との相性ばつぐんです。

20min

11/08

きのこあんかけ豆腐ステーキ

#おつまみ　#節約レシピ　#和風

きのこ
フライパン

材料（2～3人分）

木綿豆腐…300g
片栗粉…適量
サラダ油…適量
〈きのこあん〉
しめじ…50g
まいたけ…50g
A ─だし汁…200mℓ
─しょうゆ…大さじ1
─酒…大さじ1
─みりん…大さじ1
砂糖…小さじ1
バター…10g
水溶き片栗粉…大さじ1
（片栗粉…小さじ1
水…小さじ2）

下ごしらえ

しめじ、まいたけ≫食べやすい大きさにさく

作り方

① 木綿豆腐はキッチンペーパーで包み、電子レンジ600Wで2分加熱して水切りし、粗熱を取る。4等分に切り、片栗粉をまぶす。
② フライパンにサラダ油を熱し、①を全面がカリッとするまで揚げ焼きする。
③ 別のフライパンにバターを熱し、しめじ、まいたけを入れて炒める。しんなりしてきたら、Aを加えて沸かす。
④ 火を弱めて水溶き片栗粉を加え②にかける。お好みでカイワレ菜をのせる。

@macaroni_news カリカリに揚げ焼きにしてあんをかけることで、豆腐が主役になれる一品です。

30min

11/09

肉巻きキャベツのチーズとんかつ

#がっつりメニュー　#おつまみ　#お弁当

肉
フライパン

材料（2～3人分）

キャベツ…150g
豚ロース肉（薄切り）…8枚
ピザ用チーズ…60g
塩・こしょう…各少々
粒マスタード…小さじ2と1/2
薄力粉…適量
溶き卵…適量
パン粉…適量
揚げ油…適量

下ごしらえ

キャベツ≫細切りにし、塩小さじ1/2（分量外）をふって5～6分置き、水気を絞る

作り方

① 豚肉に塩・こしょうをまぶし、めん棒でたたき広げる。1枚を縦にして、片面に粒マスタードを塗り、キャベツとチーズを1/4量ずつのせて巻き上げる。
② もう1枚の豚肉を横に広げ、①をのせ、両端を折りたたむように包む。
③ フライパンに揚げ油を170℃に熱し、薄力粉、溶き卵、パン粉の順に衣をつけた②を入れてきつね色になるまで揚げる。

Memo

■揚げているとき、具材がもれないよう、豚肉でしっかり包みます。
■粒マスタードを塗らずにソースをかけてもおいしいです。

@macaroni_news いつもだったらつけ合わせになるキャベツをとんかつの中に入れちゃいます。

11/10

里いもといかと大根の煮物

#和風　#おつまみ　#作りおき

30min

鍋　魚

材料（2人分）

いか…1杯
里いも…5個（200g）
大根…1/4本（150g）
だし汁…350mℓ
（和風だしの素…小さじ2/3
水…350mℓ）
A しょうゆ…大さじ2
酒…大さじ2
みりん…大さじ2
砂糖…大さじ1

下ごしらえ

いか≫内臓と軟骨（背骨）を取り除き、胴の中をよく洗う。目の下から足を切り離し、足のつけ根にある口ばしを取り除く。胴は1cm幅の輪切り、足は食べやすい大きさに切る

里いも≫上下を切り落とし、皮をむく

大根≫大きめの乱切り

作り方

① 鍋に里いも、大根、Aを入れて火にかける。沸いたらいかを加えてひと煮立ちさせる。

② 一旦、いかを取り出し、落としぶたをして、里いもと大根に竹串がスッと通るまで20分ほど弱火で煮る。

③ いかを戻し入れ、強火にして5分ほど煮詰め、煮汁を全体に絡める。

Memo

■いかは長時間加熱すると身が硬くなるので、途中で一旦取り出すのがポイントです。
■1日置くと味がなじんでさらにおいしくなります。

@macaroni_news　いかのうまみを里いもと大根にしっかり染み込ませます。

20min

11/11

ごぼうの漬物

#おつまみ #作りおき★ #材料ひとつだけ

野菜
鍋

材料（2～3人分）

ごぼう…2本（300g）
塩…小さじ1
A
めんつゆ（3倍濃縮）…130㎖
酢…70㎖
砂糖…大さじ1と1/2
赤とうがらし（輪切り）…少々

下ごしらえ

ごぼう≫縦半分に切り、4㎝長さに切る。水に10分さらして水気を切る

作り方

① 鍋にごぼうとかぶるくらいの水（分量外）、塩を入れて火にかける。沸騰してから3分ゆでて、ザルに上げ水気を切り、そのままさます。
② 鍋にAを入れて熱し、ひと煮立ちしたら①を加える。再び沸騰したら火からおろして、粗熱を取る。

Memo

■ごぼうは食感を残すためにサッとゆでるのがポイントです。
■たたきごぼうにして作ると味がなじみやすくなります。

@macaroni_news ごぼうのパリパリ食感とほどよい酸味がやみつきになるおかずです。

20min

11/12

鶏むねチキンカツレツ

#がっつりメニュー #お弁当

肉
フライパン

材料（2～3人分）

鶏むね肉…1枚（350g）
A
マヨネーズ…大さじ2
酒…大さじ1
塩・黒こしょう…各少々
パン粉…25g
粉チーズ…大さじ2
サラダ油…大さじ3
バター（有塩）…30g

〈トマトソース〉
ミニトマト…6個
バジル…4枚
オリーブオイル…大さじ1
レモン果汁…小さじ2
塩・黒こしょう…各少々

下ごしらえ

鶏むね肉≫観音開きにして、ラップをかけてめん棒でたたき、薄くのばす
ミニトマト≫4等分に切る

作り方

① ボウルに鶏肉とAを入れて20分漬け込む。
② パン粉と粉チーズを混ぜ合わせ、①にまぶす。
③ フライパンにサラダ油とバターを熱し、②を揚げ焼きにする。
④ ボウルにトマトソースの材料をすべて入れて混ぜ合わせ③にかける。お好みで粉チーズをかける。

@macaroni_news マヨネーズに漬け込んで中はしっとり、外はカリッと仕上げます。

11/13

しっとりカレイの煮つけ

#レンチン　#和風　#ご飯がすすむ

15min

材料（2人分）

カレイ…2切れ
ほうれん草…3株（80g）
A
酒…大さじ3
しょうゆ…大さじ2
みりん…大さじ2
砂糖…小さじ2
しょうが（すりおろし）…小さじ1

下ごしらえ

カレイ≫皮に十文字に切り込みを入れる
ほうれん草≫5cm長さに切る
A≫混ぜ合わせる

作り方

①耐熱容器にほうれん草、カレイの順に入れ、Aを回しかける。ラップを密着させて電子レンジ600Wで6分加熱する。
②レンジから取り出して、粗熱が取れるまでラップを密着させたまま蒸らす。お好みで針しょうがを添える。

Memo

■皮目に切り込みを入れることで、味が染み込みやすく、皮も破けにくくなります。
■レンジから取り出し、余熱で火を通すことで、身がパサつかずしっとりと仕上がります。

魚　レンジ

@macaroni_news 和食の定番煮魚を、レンチンで作る簡単レシピです。

11/14

がんもどきと大根の煮物

#簡単レシピ　#和風

30min

材料（2〜3人分）

がんもどき…3個
大根…200g
水…350㎖
A
めんつゆ（3倍濃縮）…大さじ4
砂糖…小さじ1

下ごしらえ

がんもどき≫熱湯を回しかけ、油抜きをする
大根≫2cm厚さの半月切り

作り方

①耐熱容器に大根を入れ、水（分量外）を1cmほどの高さまで加える。ふんわりとラップをかけて電子レンジ600Wで6〜7分加熱する。
②鍋に水気を切った①、がんもどき、水、Aを入れて沸かし、落としぶたをして弱火〜中火で15〜20分煮る。

Memo

■大根はレンジで加熱をしておくことで、柔らかく仕上がります。
■がんもどきは油抜きをすると、味が染み込みやすくなります。

その他　鍋

@macaroni_news めんつゆで煮込むだけのラクラクおかず。

11/15

基本のビーフシチュー

#おもてなし　#基本のレシピ　#洋風

50min

鍋　肉

材料（3～4人分）

牛ロース肉（カレー・シチュー用）…400g
玉ねぎ…1個
にんじん…1本
マッシュルーム…10個（100g）
赤ワイン…150mℓ
水…250mℓ
デミグラスソース缶…290g
トマトケチャップ…大さじ1
塩・こしょう…各少々
サラダ油…大さじ1

下ごしらえ

牛肉》赤ワインに1時間浸す
玉ねぎ》2cm幅のくし形切り
にんじん》大きめの乱切り

作り方

① 鍋にサラダ油大さじ½を熱し、牛肉を入れて焼き色がつくまで焼く。
② 牛肉を取り出し、フライパンをきれいにし、サラダ油大さじ½、玉ねぎ、にんじん、マッシュルームを加えて炒め合わせる。
③ 牛肉を鍋に戻し、肉を浸していた赤ワイン、水を加え、ひと煮立ちしたらアクを取り除く。ふたをして、弱火で2時間煮込む。
④ デミグラスソース、ケチャップを加え、混ぜながら20～30分弱火で煮込み、塩・こしょうで味をととのえる。
⑤ 器に盛り、お好みで生クリームをかける。

Memo

- 牛肉を赤ワインで漬け込むことで柔らかく仕上がります。
- 煮込むときに、ローリエを1～2枚入れると、より風味のあるビーフシチューに仕上がります。

@macaroni_news　パーティやお祝いの日にもぴったりの本格的な味わいです。

11/16

肉巻き厚揚げのおろし玉ねぎ煮

#和風　#節約レシピ　#ご飯がすすむ

肉　フライパン

10min

材料（2～3人分）

豚バラ肉（薄切り）…200g
厚揚げ…300g
玉ねぎ…½個
塩・こしょう…各少々
片栗粉…適量
サラダ油…小さじ1
A しょうゆ…大さじ1
A 酒・みりん…各大さじ1
A 砂糖…小さじ1
A しょうが（すりおろし）…小さじ½

下ごしらえ

豚バラ肉≫塩・こしょうをふる
厚揚げ≫2cm幅に切る
玉ねぎ≫すりおろす

作り方

① 厚揚げに豚バラ肉を巻きつけ、片栗粉をまぶす。
② フライパンにサラダ油を熱し、①の巻き終わりを下にして並べ入れ、全面焼く。
③ 全面に焼き色がついたらAを入れてひと煮立ちさせ、すりおろし玉ねぎを加えて絡める。

Memo
■玉ねぎをすりおろすときは繊維と垂直に半分に切り、根に近い下半分を使用すると、バラけずすりおろしやすいです。
■肉を厚揚げにきつく巻きつけると、焼いても抜けにくいです。

@macaroni_news　おろし玉ねぎを入れた和風だれがしっかり絡んでこっくりとした味わい。

11/17

にんじんのひらひらきんぴら

#材料ひとつだけ　#スピード副菜　#お弁当

野菜　レンジ

15min

材料（2人分）

にんじん…1本
A しょうゆ…大さじ1と½
A みりん…大さじ1
A 砂糖…小さじ1
A ごま油…小さじ1
白いりごま…大さじ1

下ごしらえ

にんじん≫ピーラーでスライスする

作り方

① 耐熱容器ににんじんとAを入れて混ぜ合わせ、ふんわりとラップをかけて電子レンジ600Wで1分30秒加熱する。
② ラップを外し、再び電子レンジ600Wで2分30秒加熱する。仕上げに白ごまをかける。

Memo
■ピーラーを使うと、せん切りするよりも簡単に作れます。にんじんが小さくなってきたら、包丁でせん切りにしてください。
■ツナ缶や卵を加えるとボリュームアップに。

@macaroni_news　ピーラーでスライスしたにんじんと調味料を合わせてレンチンするだけ！

11/18

大根の煮物

#材料ひとつだけ　#基本のレシピ　#ご飯がすすむ

野菜　鍋

20min

材料（2～3人分）
大根…½本
水…300㎖
酒…50㎖
A しょうゆ…大さじ2
A みりん…大さじ1
A 砂糖…大さじ½
A 和風だしの素…小さじ1

下ごしらえ
大根≫1．5㎝厚さの半月切りにし、面取りする

作り方
① 鍋に水とAを入れ火にかけ、ひと煮立ちさせる。
② 大根を加えて20分ほど煮たら、火を止めてさます。
③ 食べる直前にもう一度温め、お好みで針しょうがをのせる。

Memo
■大根は面取りをすることで煮崩れしにくくなります。
■一度火を止めて温度を下げることで、味がしっかり染み込みます。

@macaroni_news 大根だけのシンプルでやさしい甘みの煮物です。

11/19

牛ごぼうのしぐれ煮

#基本のレシピ　#作りおき★　#お弁当

肉　フライパン

20min

材料（4人分）
牛肉（切り落とし）…200g
糸こんにゃく…1パック（200g）
ごぼう…1本
しょうが…2かけ
赤とうがらし（輪切り）…3g
A しょうゆ…50㎖
A 砂糖…大さじ2
A 酒・みりん…各大さじ2
ごま油…大さじ1

下ごしらえ
糸こんにゃく≫アク抜きし、食べやすい長さに切る
ごぼう≫ささがきにして水に1分さらし、水気を切る
しょうが≫せん切り

作り方
① フライパンで糸こんにゃくを水分がなくなるまで乾煎りする。
② 糸こんにゃくをフライパンの端に寄せてごま油、しょうが、赤とうがらしを入れ、弱火で炒める。香りが立ったらごぼうを加えて炒める。
③ ごぼうに油が回ったら牛肉を加え、色が変わるまで炒める。Aを加えてふたをし、弱中火で5分煮る。
④ ふたをあけて水分を飛ばす。

@macaroni_news 糸こんにゃくは乾煎りすると水っぽくならず、味染みもよくなります。

11/20

塩こんバターのおつまみピーマン

#レンチン　#スピード副菜　#材料ひとつだけ

野菜

レンジ

材料（2人分）

ピーマン…5個
塩昆布…10g
バター…10g

下ごしらえ

ピーマン≫3㎜幅の輪切り

作り方

① ボウルにピーマンとバターを入れ、ふんわりとラップをかけて電子レンジ600Wで2分加熱する。
② 塩昆布を混ぜ合わせ、お好みで削り節をかける。

Memo

■ ピーマンは、加熱しすぎると水分が出てしまうので、様子を見て調整してください。
■ お好みでしょうゆやめんつゆをかけても。

@macaroni_news　ピーマンのシャキシャキ食感と、塩昆布＆バターのうまみがおいしい。

11/21

大葉のブラックペッパー漬け

#ご飯のおとも　#材料ひとつだけ　#作りおき★

野菜

なし

材料（2～3人分）

大葉…10枚
A めんつゆ（3倍濃縮）…大さじ2
水…大さじ1
ごま油…小さじ1
砂糖…小さじ½
しょうが（すりおろし）…小さじ½
にんにく（すりおろし）…小さじ½
粗びき黒こしょう…小さじ⅓

下ごしらえ

大葉≫軸を落とす

作り方

① ボウルにAを入れて混ぜ合わせる。
② 大葉を1枚ずつ①に浸して保存容器に入れ、さらに①をかける。同じことを繰り返す。
③ ラップを密着させ、冷蔵庫で半日～1日漬ける。

Memo

■ 大葉は洗った後、しっかりと水気を拭き取ってください。
■ 漬ける際はラップで密着させることで、味がなじみやすくなります。

@macaroni_news　ご飯にのせたり、チーズを巻いたりして楽しんで。

11/22

エリンギのピリ辛メンマ風

#材料ひとつだけ　#作りおき★　#ご飯がすすむ

きのこ　フライパン

10min

材料（2～3人分）
エリンギ…2パック
しょうゆ…大さじ1
ごま油…大さじ1
砂糖…大さじ½
—A—
にんにく（すりおろし）…小さじ½
ラー油…大さじ½
鶏ガラスープの素…小さじ⅓
赤とうがらし（輪切り）…1本分

下ごしらえ
エリンギ≫半分の長さに切り、縦に薄切り

作り方
① フライパンにエリンギを入れ、水分が飛ぶまで乾煎りする。
② ボウルに①とAを入れてあえる。粗熱が取れたら、冷蔵庫で20分置く。

Memo
■エリンギは熱いうちに調味液と合わせてなじませてください。
■乾煎りすることで香りが引き立ちます。
■ラー油の量はお好みで調節してください。

@macaroni_news　エリンギなのに、食感も見た目もメンマそっくりに仕上がります。

11/23

基本のじゃがバター

#材料ひとつだけ　#基本のレシピ　#レンチン

野菜　レンジ

10min

材料（2～3人分）
じゃがいも…3個
塩・こしょう…各適量
バター…適量

下ごしらえ
じゃがいも≫芽を取り除き、皮のまま深さ⅔程度まで十字に切り込みを入れる

作り方
① じゃがいもをサッと濡らし、耐熱皿に入れ、ふんわりとラップをかけて電子レンジ600Wで6～7分加熱する。
② 塩・こしょうをかけてバターを切り目の位置にのせる。

Memo
■じゃがいもの皮が緑に変色していないもの、また芽が出ていないものを選んでください。
■小さな芽がある場合は、つまようじを刺して取り除くか、包丁の刃元でえぐり取ってください。

@macaroni_news　じゃがいもの芽をしっかり取り除き、皮つきのままレンチンします。

11/24

鶏むね肉の油淋鶏《ユーリンチー》

#おつまみ　#中華風　#がっつりメニュー

20min

フライパン　肉

材料（2人分）

鶏むね肉…1枚
砂糖…小さじ1
酒…大さじ1
塩…小さじ1/4
片栗粉…適量
揚げ油…適量
〈たれ〉
長ねぎ…1/2本（50g）
しょうが（みじん切り）…1かけ分
ポン酢しょうゆ…大さじ3
砂糖…大さじ1/2
オイスターソース…小さじ1
ごま油…小さじ1

下ごしらえ

鶏むね肉≫観音開きにし、ラップを重ねてめん棒などでたたき、薄くのばす
長ねぎ≫みじん切り
たれ≫混ぜ合わせる

作り方

① 鶏肉に砂糖を揉み込む。酒と塩をまぶして10分ほど置き、片栗粉をまぶす。
② フライパンに1cm深さの揚げ油を170℃に熱し、①を入れて中に火が通るまで、揚げ焼きにする。
③ ②を食べやすい大きさに切り、たれをかける。お好みで水菜と糸とうがらしを添える。

Memo

- 鶏むね肉は厚さを均一にするとまんべんなく火が通ります。
- 一口大に切ってから揚げてもOKです。

@macaroni_news ポン酢を使うと、たれの味が簡単に決まります。

11/25

豚肉と白菜のうま煮

#ご飯がすすむ　#がっつりメニュー

フライパン　肉

材料（2人分）

豚こま肉…200g
白菜…300g
にんじん…30g
しめじ…50g
A
片栗粉…小さじ2
しょうゆ…小さじ1
酒…小さじ1
B
水…100ml
しょうゆ…大さじ1
酒…大さじ1
みりん…大さじ1
和風だしの素…小さじ2/3
砂糖…小さじ1/3
ごま油…大さじ1
水溶き片栗粉
（片栗粉…大さじ1/2
水…大さじ1）

下ごしらえ

白菜≫葉はざく切り、芯は一口大に切る
にんじん≫短冊切り
しめじ≫小房に分ける

作り方

①ボウルに豚肉とAを入れて揉み込む。
②フライパンにごま油を熱し、豚肉を炒める。焼き色がついたら白菜の芯、にんじんを入れて炒め合わせる。
③白菜の葉としめじを加えてサッと炒め、Bを入れて弱中火で白菜の芯が柔らかくなるまで4分ほど煮る。水溶き片栗粉でとろみをつける。

Memo

■白菜は葉と芯の部分で火の通りに差があるので、先に芯を炒めてください。

@macaroni_news　そのまま食べるのはもちろん、ご飯にかけてもおいしい。

11/26

レンジでふわふわ茶碗蒸し

#レンチン　#スピード副菜　#簡単レシピ

10min

その他　レンジ

材料（2人分）

卵…3個
かに風味かまぼこ…6本
A みりん…大さじ1
A 鶏ガラスープの素…小さじ2
A ごま油…小さじ1
A 塩…少々
水…200㎖
青ねぎ（小口切り）…適量
白いりごま…適量

下ごしらえ

かに風味かまぼこ≫ほぐす

作り方

① 耐熱の器に卵を溶き、Aと水を加えて混ぜ合わせる。
② かに風味かまぼこを加えて混ぜ、ふんわりとラップをかけて電子レンジ600Wで3分加熱する。
③ 取り出してかき混ぜ、再びラップをかけ電子レンジ600Wで3分加熱する。仕上げに青ねぎと白ごまをかける。

Memo
■時間がたつとしぼみやすいので、できたてを食べるのがおすすめです。

@macaroni_news 大きいサイズのふわふわ茶碗蒸し。一度かき混ぜるのがポイントです。

11/27

れんこん唐揚げ

#材料ひとつだけ　#おつまみ　#お弁当

30min

野菜　フライパン

材料（2～3人分）

れんこん…300g
A しょうゆ…大さじ2
A みりん…大さじ2
A しょうが（すりおろし）…小さじ1
A にんにく（すりおろし）…小さじ½
片栗粉・薄力粉…各大さじ2
揚げ油…適量

下ごしらえ

れんこん≫5㎜厚さの輪切りにして酢水（水に対して3%、分量外）に5分さらし、水気を拭き取る

作り方

① ポリ袋にれんこんとAを入れて混ぜ合わせ、15分漬け込む。
② ボウルに片栗粉と薄力粉を入れて混ぜ合わせ、れんこんにまんべんなくまぶす。
③ フライパンに2㎝深さの揚げ油を170℃に熱し、②を入れる。両面に揚げ色がつくまで揚げる。

Memo
■れんこんの水気が残っていると味が薄まるので、しっかりと拭き取ってください。
■衣をつける際、余分な粉はしっかりとはらってください。

@macaroni_news れんこんにしっかり味つけをしてから、カリッと揚げます。

25 min

11/28

白菜ととろとろ春雨のうま煮

#和風　#ご飯がすすむ

フライパン　野菜

材料（2〜3人分）

白菜…1/4個
春雨…30g
豚ひき肉…150g
しょうが…1かけ
サラダ油…大さじ1/4
だし汁…300ml
（和風だしの素…小さじ1
水…300ml）
―A―
しょうゆ…大さじ2
酒…大さじ1
砂糖…大さじ1/2
水溶き片栗粉
（水…大さじ2
片栗粉…大さじ1）

下ごしらえ

白菜≫ざく切り
春雨≫熱湯で戻し、水気を切る
しょうが≫せん切り

作り方

① フライパンにサラダ油、しょうがを入れて炒める。香りが立ってきたらひき肉を加え、肉の色が変わったら白菜を加える。
② 全体に油が回ったらAを加えてふたをし、15分煮込む。
③ ふたを開けて弱火にし、春雨を加えて5分煮込む。火を弱めて水溶き片栗粉を回し入れ、火を強めてとろみをつける。お好みで青ねぎをちらす。

Memo
■春雨は少し固めに戻しておくと、ほどよい食感に仕上がります。

@macaroni_news　春雨がうまみをたっぷり吸い込んだボリューム満点の一品です。

11/29

山いも明太の大葉包み揚げ

#おつまみ　#お弁当　#おやつにも

20min

材料（2～3人分）

山いも…200g
明太子…1本（50～80g）
大葉…10枚
和風だしの素…小さじ1/2
揚げ油…適量

下ごしらえ

山いも≫すりおろす
明太子≫薄皮を取り除き、ほぐす

作り方

① ボウルに山いも、明太子、和風だしの素を入れてよく混ぜ合わせる。
② ①を大葉の中心にのせて包む。
③ フライパンに揚げ油を熱し、②を入れて揚げ焼きにする。

野菜　フライパン

Memo

■レシピでは粘り気が強い大和いもを使用しています。長いもで作る場合は片栗粉を加えるとまとまりやすくなります。
■山いもは垂れやすいので、大葉にのせたらすぐに油の中に入れてください。

@macaroni_news 外はサクッ、中はふんわりもっちりした食感がたまらないおかず。

11/30

大根の甘辛しょうゆ漬け

#材料ひとつだけ　#簡単レシピ　#ご飯がすすむ

15min

材料（2～3人分）

大根…1/3本
A しょうゆ…120mℓ
　砂糖…60g
　酒…50mℓ
　酢…大さじ2
　ごま油…大さじ1
　にんにく（すりおろし）…小さじ1
　赤とうがらし（輪切り）…1本分

下ごしらえ

大根≫1cm角の拍子木切りにし、塩少々（分量外）をふって5分ほど置き、水気を拭き取る

作り方

① 小鍋にAを入れ、ひと煮立ちさせて粗熱を取る。
② 保存容器に大根と①を入れ、冷蔵庫で半日～1日漬け込む。

野菜　鍋

Memo

■大根は塩揉みして余分な水分を拭き取ると、味がなじみやすくなります。
■漬け込んだ大根は、時間の経過とともに、ポリポリした食感から柔らかい食感になります。

@macaroni_news ちょっとだけ大根が余ってしまったときにぴったりのレシピ。

Column 9

知っておくと便利!
食材の重量の目安

この本はレシピによって、野菜や肉の分量が数量になっている場合や
重さになっている場合など、表記の方法が異なっていることがあります。
「にんじん50ｇって、いったい何本？」など疑問が出てきた場合に
この一覧表を参考にしてください。
ざっと覚えておくと、この本だけでなくいろいろなレシピで活用できて便利です。

野菜

かぼちゃ	１個	約1600ｇ
キャベツ	１枚	約50ｇ
	１個	約1200ｇ
きゅうり	１本	約100ｇ
ごぼう	１本	約150ｇ
さつまいも	１本	約300ｇ
じゃがいも	１個	約130ｇ
セロリ	１本	約100ｇ
大根	１本	800～1000ｇ
玉ねぎ	１個	約200ｇ
トマト	１個	約150ｇ
長ねぎ	１本	約100ｇ
なす	１本	約80ｇ
ニラ	１束	約100ｇ
にんじん	１本	約200ｇ
白菜	１枚	約100ｇ
	１個	約2000ｇ
ピーマン	１個	約40ｇ
ブロッコリー	１個	約200ｇ
ほうれん草	１束	約200ｇ
もやし	１袋	約200ｇ
レタス	１個	約250ｇ
れんこん	１節	約250ｇ

きのこ類

えのきだけ	１袋	約200ｇ
しめじ	１パック	約100ｇ
まいたけ	１パック	約100ｇ

肉

鶏もも肉	１枚	250～300ｇ
鶏むね肉	１枚	300～350ｇ

加工品

こんにゃく	１枚	250～300ｇ
豆腐	１丁	300～400ｇ
厚揚げ	１枚	150～200ｇ
ツナ缶	１缶	約70ｇ
トマト缶	１缶	約400ｇ

※一般的な重さです。実際の食材や商品によって、異なる場合もありますのでご了承ください。

冬

12月

1月

2月

⏱30min

本格キムチ鍋

#がっつりメニュー　#ご飯がすすむ

鍋　肉

材料（3～4人分）

白菜キムチ…250g
豚バラ肉（薄切り）…200g
長ねぎ…1本
ニラ…½束
えのきだけ…1袋（100g）
絹豆腐…1丁（300g）
にんにく…1かけ
しょうが…1かけ
だし汁…1ℓ
（和風だしの素…大さじ1
水…1ℓ）
酒…大さじ1
コチュジャン…大さじ1
みそ…大さじ2
ごま油…大さじ1

下ごしらえ

豚バラ肉≫3㎝幅に切る
長ねぎ≫1㎝幅の斜め切り
ニラ≫4㎝長さに切る
えのきだけ≫2等分に切る
豆腐≫キッチンペーパーに包んで水気を拭き取り、6等分に切る
にんにく≫みじん切り
しょうが≫みじん切り

作り方

① 鍋にごま油を弱火で熱し、にんにく、しょうがを入れ、香りが立ったら豚肉を加えて炒める。色が変わったらキムチを漬け汁ごと加えて、さらに炒める。

② ①にだし汁、酒を入れ、沸いたら、長ねぎ、えのきを加えてしんなりするまで加熱する。豆腐を加えてふたをし、4～5分煮込む。

③ 耐熱ボウルにコチュジャン、みそ、②の煮汁を大さじ2ほど加えて溶き、鍋に入れて混ぜ合わせ、ひと煮立ちしたら、ニラを加えてサッと煮る。

Memo

■だし汁は煮干しだしに替えても。

@macaroni_news　鍋の素を使わなくても簡単に作れるキムチ鍋レシピ。

12/02

鮭のホイル焼き

#ヘルシー　#簡単レシピ　#基本のレシピ

魚　フライパン

材料（2人分）

生鮭…2切れ
玉ねぎ…30g
にんじん…30g
えのきだけ…60g
しめじ…30g
塩・黒こしょう…各少々
バター…20g
水…50㎖

30min

下ごしらえ

玉ねぎ》薄切り
にんじん》細切り
えのきだけ、しめじ》ほぐす

作り方

① 生鮭は両面に軽く塩・黒こしょうをまぶす。
② アルミホイルを広げ、玉ねぎ、にんじん、えのきだけをのせ、その上に生鮭、しめじ、バターをのせ、アルミホイルをしっかりとじる。
③ フライパンに②をのせて水を加え、ふたをして弱火で15分蒸し焼きにする。お好みで青ねぎをちらし、ポン酢しょうゆをかける。

Memo

■鮭の下に野菜やきのこを敷くことで鮭がアルミホイルにくっつかず、食べやすくなりますよ。

@macaroni_news　今回のレシピはフライパンで作っていますが、トースターでも作れます。

12/03

ジューシー揚げ鶏肉

#材料ひとつだけ　#おつまみ　#おやつにも

肉　フライパン

材料（2人分）

鶏もも肉…300g
A
酒…大さじ1
みりん…小さじ1
しょうゆ…小さじ2
砂糖…小さじ1
にんにく（すりおろし）…小さじ1
薄力粉…適量
揚げ油…適量

15min

下ごしらえ

鶏もも肉》2等分に切る

作り方

① ボウルに鶏肉とAを入れて揉み、ラップを密着させて1時間以上漬け込む。
② ①に薄力粉を薄くまぶし、170℃の揚げ油で中に火が通るまで5～7分ほど揚げる。

Memo

■薄力粉は薄くまぶすことで、サクッと仕上がります。
■鶏むね肉を使用すると、鶏もも肉よりもあっさりした仕上がりになります。

@macaroni_news　鶏もも肉にしっかり下味をつけてジューシーに揚げた一品。

15min

12/04

白菜の旨塩昆布あえ

#スピード副菜　#材料ひとつだけ　#おつまみ

野菜
なし

材料（3～4人分）

白菜…1/4株（400g）
塩…小さじ1
塩昆布…15g
A ごま油…小さじ2
A 鶏ガラスープの素…小さじ1

下ごしらえ

白菜≫2cm幅に切る

作り方

① ボウルに白菜、塩を入れて揉み込み、10分ほど置き、水気をしっかり絞る。
② Aを加えて混ぜ合わせる。

Memo
■水気をしっかり切ることで、味がなじみやすくなります。
■塩昆布はものによって塩分が異なるので、量はお好みで調節してください。

@macaroni_news あえるだけで簡単に作れる楽ちんレシピ。

15min

12/05

大根の漬物

#簡単レシピ　#ほったらかし　#レンチン

野菜
レンジ

材料（2～3人分）

大根…1/4本（500g）
ゆずの皮…1/4個分
塩…小さじ2
A 酢…大さじ3
A 砂糖…大さじ2
A 塩…小さじ1/2

下ごしらえ

大根≫縦半分に切ってスライサーで半月の薄切り。塩を揉み込み、10分置き、しんなりとしたら水気を絞る
ゆずの皮≫せん切り

作り方

① 耐熱ボウルにAを入れて混ぜ合わせ、ふんわりとラップをかけて電子レンジ600Wで30秒加熱し、よく混ぜる。
② 密閉保存袋に大根、ゆずの皮、①を入れてよく揉み込み、15分置く。

Memo
■大根はスライサーで薄切りにすると漬け込み時間を短縮できますよ。スライサーがない場合はなるべく薄く切ってください。
■Aは加熱して酸味を飛ばし、砂糖をしっかり溶かし混ぜるのがポイントです。また、ゆずの搾り汁を入れてもさっぱりとした味に仕上がります。

@macaroni_news ゆずの風味でさわやかな味わいの甘酢漬けです。

12/06

鶏もも肉とキャベツのガーリック炒め

#ご飯がすすむ　#おつまみ　#お弁当

15min

フライパン　肉

材料（2人分）

キャベツ…200g
鶏もも肉…1枚（300g）
酒…大さじ1
塩…少々
片栗粉…大さじ1

A
酒…大さじ1
鶏ガラスープの素…小さじ2
みりん…小さじ2
にんにく（すりおろし）…小さじ1

サラダ油…大さじ1

下ごしらえ

鶏もも肉≫一口大に切る
A≫混ぜ合わせる

作り方

① 鶏肉に酒、塩を揉み込み、片栗粉をまぶす。
② フライパンにサラダ油を熱し、鶏肉を焼く。片面に焼き色がついたら裏返し、ふたをして2～3分蒸し焼きにする。
③ キャベツをちぎりながら加え、油が回ったらAを加え、炒め合わせる。お好みで粗びき黒こしょうをふる。

Memo

■ 鶏肉に下味を揉み込むことで、しっとりと柔らかく仕上がります。
■ キャベツを加えたら、食感が残るようにサッと炒め合わせてください。

@macaroni_news　キャベツは炒めているときに、手でちぎりながら入れると簡単です。

15min

12/07

にんじんのごまみそあえ

#材料ひとつだけ #スピード副菜 #作りおき★

野菜 レンジ

材料（2～3人分）

にんじん…1本
〈あえ衣〉
白すりごま…大さじ2
マヨネーズ…小さじ2
みそ…小さじ2
しょうゆ…小さじ1
ごま油…小さじ1
砂糖…ひとつまみ

下ごしらえ

にんじん≫2㎜厚さの短冊切り

作り方

① 耐熱容器ににんじんを入れ、ふんわりとラップをかけて電子レンジ600Wで1分加熱し、水気を拭き取る。
② ボウルにあえ衣の材料を入れてよく混ぜ合わせ、①を加えてサッとあえる。

Memo
■にんじんは少し厚めに切ることで食感が楽しめます。
■加熱しすぎると食感が悪くなってしまうので、加熱時間は様子を見ながら調節してください。

@macaroni_news にんじんをすりごまたっぷりのみそであえる香ばしいレンチンレシピ。

20min

12/08

なすと長いもの韓国風炒め

#韓国風 #ご飯がすすむ #おつまみ

野菜 フライパン

材料（4人分）

なす…5本
長いも…200g
酒…大さじ½
しょうゆ…大さじ½
片栗粉…大さじ1
A
オイスターソース…大さじ1と½
みりん…大さじ1
甜麺醤…小さじ1と½
ごま油…大さじ1と⅓
白いりごま…大さじ2

下ごしらえ

なす≫縦半分に切り、皮目に格子状に切り込みを入れ、大きめの乱切り。水に5分さらし、水気を切る
長いも≫2㎝角に切る

作り方

① ポリ袋に長いも、酒、しょうゆを入れてなじませたら、片栗粉を加え、揉み込む。
② フライパンを熱し、なすの切り口を下にして並べ入れる。片面に焼き色がついたら裏返し、①の長いも、ごま油を加えて返しながら8～10分焼く。
③ ②にAを加えて水分を飛ばすように炒め、白ごまを加えて混ぜる。

@mari.everydayolive なすに焼き色がついてから油を入れると油っぽくなりません。

12/09

鶏むねマスタードチキン

#材料ひとつだけ　#節約レシピ　#お弁当

肉
フライパン

材料（2人分）

鶏むね肉…1枚（250g）
マヨネーズ…小さじ1
片栗粉…大さじ1
A
はちみつ…小さじ2
粒マスタード…小さじ2
酢…小さじ2
しょうゆ…小さじ1
サラダ油…小さじ2

下ごしらえ

鶏むね肉≫一口大に切る
A≫混ぜ合わせる

作り方

① ボウルに鶏肉を入れ、マヨネーズを絡めて、15分ほど漬け込み、片栗粉をまぶす。
② フライパンにサラダ油を熱し、①を焼く。
③ 鶏肉に火が通ったらAを加えて、全体に絡める。

Memo
■鶏むね肉は鶏もも肉でも代用できます。
■片栗粉をまぶすことによって焼いても硬くなりにくく、しっとりとした仕上がりになります。また、調味料が絡みやすくなります。

@macaroni_news　マスタードとはちみつを絡めて、塩分は控えて作ってみました。

12/10

たっぷりきのこの豚そぼろ

#ご飯のおとも　#節約レシピ　#ヘルシー

きのこ
フライパン

材料（2～3人分）

豚ひき肉…100g
しめじ…½パック（50g）
えのきだけ…¼袋（50g）
エリンギ…½パック（50g）
長ねぎ…½本
しょうが（すりおろし）…小さじ1
酒…大さじ2
A
砂糖…大さじ2
しょうゆ…大さじ2
みりん…大さじ1

下ごしらえ

きのこ≫みじん切り
長ねぎ≫みじん切り

作り方

① フライパンにひき肉、しょうが、酒を入れてなじませる。火にかけ、ひき肉の色が変わるまで炒める。
② しめじ、えのき、エリンギ、長ねぎを加えて全体を炒め合わせる。
③ Aを加えて水分がなくなるまで炒める。

Memo
■火をつける前にひき肉と酒を混ぜ合わせることで、柔らかく仕上がります。

@yuchan0333　きのこのうまみがぎゅっと詰まったご飯にかけたい一品です。

12/11

れんこんのきんぴら

#基本のレシピ　#材料ひとつだけ　#スピード副菜

野菜
フライパン

15min

材料（2～3人分）

れんこん…150g
赤とうがらし（輪切り）…1本分
A 薄口しょうゆ…大さじ2
A 砂糖…大さじ1
A みりん…大さじ1
サラダ油…大さじ1
ごま油…小さじ1

下ごしらえ

れんこん≫2～3㎜の薄切りにして酢水（分量外）にさらし、水気を拭き取る

作り方

① フライパンにサラダ油と赤とうがらしを入れて火にかけ、ふつふつとしてきたられんこんを加えて炒める。
② 全体がしんなりしてきたら余分な油を拭き取り、Aを入れて水分が少なくなるまで炒める。
③ 鍋肌からごま油を入れ、お好みで白いりごまをふりかける。

Memo
■薄口しょうゆがない場合は、しょうゆでも代用できます。

@macaroni_news　シンプルなれんこんのきんぴら。ベーコンをプラスしてもおいしいです。

12/12

白菜とツナの旨塩ナムル

#作りおき★　#レンチン　#簡単レシピ

野菜
レンジ

20min

材料（2～3人分）

白菜…500g
ツナ缶…1缶（70g）
A ごま油…大さじ½
A しょうゆ…小さじ1
A 和風だしの素…小さじ1
塩…少々

下ごしらえ

白菜≫一口大に切る

作り方

① 耐熱ボウルに白菜を入れ、ふんわりとラップをかけて電子レンジ600Wで3～5分、白菜がしんなりするまで加熱する。粗熱が取れたら、水気を絞る。
② 別のボウルに①と油を切ったツナ、Aを入れて混ぜ、5分ほどなじませる。

Memo
■白菜の水分はよく絞ってから混ぜ合わせてください。
■レンジ加熱後は白菜が熱いため、火傷しないようにしっかりと粗熱を取ってから水分を絞ってください。

@ayaka_t0911　ツナのうまみがおいしい、ご飯にもぴったりの味わい。

12/13

餃子の皮でラザニア

#洋風　#おもてなし

オーブン　肉

材料（3〜4人分）

餃子の皮…24枚
ピザ用チーズ…50g
〈ミートソース〉
牛ひき肉…200g
玉ねぎ…1個
にんにく…1かけ
オリーブオイル…大さじ1
塩・こしょう…各少々
A
ホールトマト缶…1缶（400g）
トマトケチャップ…大さじ3
ウスターソース…大さじ2
コンソメスープの素…小さじ1
〈ホワイトソース〉
バター…40g
薄力粉…35g
牛乳…300mℓ
コンソメスープの素…小さじ1
塩・こしょう…各少々

下ごしらえ

玉ねぎ、にんにく≫みじん切り
オーブンを200℃に予熱する

作り方

① ミートソースを作る。フライパンにオリーブオイルとにんにくを入れ、弱火で炒める。にんにくの香りが立ったら玉ねぎを透き通るまで炒め、牛ひき肉を加えて色が変わるまで炒める。
② ①にAを加えて弱火で15分煮詰める。水分がなくなったら、塩・こしょうで味をととのえる。
③ ホワイトソースを作る。鍋にバターを熱し、薄力粉を加えて弱火で炒める。粉っぽさがなくなったら、牛乳を3回に分けて加え、そのつど木べらで混ぜる。
④ 弱火で混ぜながらひと煮立ちさせ、コンソメと塩・こしょうで味をととのえる。
⑤ 耐熱皿にホワイトソース、ミートソース、餃子の皮の順に3段重ねる。最後にピザ用チーズをのせる。
⑥ 200℃のオーブンで15分焼き、お好みでパセリをちらす。

@macaroni_news　ミートソースは水分を飛ばすように、しっかり煮詰めるのがポイント。

12/14

やみつきピーマン春雨

#ヘルシー　#ご飯がすすむ

野菜
フライパン

材料（2～3人分）

ピーマン…3個
春雨…60g
合いびき肉…100g
にんにく…1かけ
しょうが…1かけ
塩・こしょう…各少々
A
- オイスターソース…大さじ1
- しょうゆ…大さじ1
- 酒…大さじ1
- 鶏ガラスープの素…小さじ1/2

ごま油…大さじ1

下ごしらえ

ピーマン≫縦半分に切り、2㎜幅の細切り
ひき肉≫塩・こしょうをふる
にんにく、しょうが≫みじん切り

作り方

① 耐熱容器に春雨とひたひたの水（分量外）を入れ、ふんわりとラップをかけて電子レンジ600Wで3分加熱する。ザルに上げて水気を切る。
② フライパンにごま油を熱し、にんにく、しょうがを炒める。香りが立ったらひき肉を炒め、肉の色が変わったらピーマンを加えてサッと炒める。
③ ②に①の春雨を入れて炒め合わせ、Aを加えて水気が飛ぶまで炒める。お好みで白ごまをふる。

@macaroni_news　炒めると柔らかくなる春雨は少し硬めに戻すのがおすすめ。

12/15

ふわっとマヨチキンナゲット

#作りおき★　#お弁当　#節約レシピ

肉
フライパン

材料（おかずカップ6個分）

鶏むね肉…1枚（350g）
A
- 卵…1個
- 薄力粉…大さじ2
- マヨネーズ…大さじ2
- コンソメスープの素…小さじ1
- 塩・こしょう…各少々

サラダ油…適量

下ごしらえ

鶏むね肉≫粗みじん切りにしてから包丁でたたきミンチ状にする

作り方

① ボウルに鶏肉とAを入れ、粘りが出るまでよく混ぜる。スプーンで12等分のナゲット形に成形する。
② フライパンに多めのサラダ油を170℃に熱し、①をやさしく落とし入れ、両面を3分ずつ揚げ焼きにする。

Memo
■鶏肉はしっかりとたたいてミンチにすると、柔らかくふわっとした食感に仕上がります。ひき肉を買うよりお手頃なのでおすすめです。

@macaroni_news　味つけはマヨネーズとコンソメで簡単！　さめてもおいしいおかずです。

12/16

ローズマリーチキン

#おもてなし　#材料ひとつだけ　#簡単レシピ

肉
フライパン

材料（2人分）

鶏もも肉…1枚（300g）
塩…小さじ¼
黒こしょう…少々
にんにく…2かけ
ローズマリー…2本
オリーブオイル…小さじ2

20min

下ごしらえ

鶏もも肉≫半分に切り、両面をフォークで刺す
にんにく≫包丁の腹でつぶす

作り方

① 鶏肉の両面に塩、黒こしょうをふり、下味をつける。
② ボウルに鶏肉、にんにく、ローズマリー、オリーブオイルを入れてラップを密着させ、10分ほど漬け込む。
③ フライパンを熱し、にんにく、ローズマリー、鶏肉の皮目を下にして並べ入れる。焼き色がついたら裏返し、ふたをして、中に火が通るまで蒸し焼きにする。お好みでローズマリーとレモンを添える。

Memo

■焼き時間は様子を見て調整してください。透明な肉汁が出てくれば焼き上がり。ローズマリーとにんにくが焦げそうな場合は取り出します。

@macaroni_news　ローズマリーの香りがたまらない簡単チキンステーキです。

12/17

簡単ローストポーク

#ほったらかし　#おもてなし　#材料ひとつだけ

肉
フライパン

材料（3〜4人分）

豚肩ロース肉…400g
にんにく…1かけ
粒マスタード…大さじ3
はちみつ…大さじ2
ローズマリー…2本
塩・こしょう…各少々
オリーブオイル…大さじ1

100min

下ごしらえ

にんにく≫薄切り

作り方

① 密閉保存袋にオリーブオイル以外のすべての材料を入れ、空気を抜きながら口をとじ、袋の上からよく揉み込む。そのまま室温で30分〜1時間ほど置く。
② フライパンにオリーブオイルを熱し、①の豚肉を入れ全面に焼き色をつける。保存袋に肉を戻し入れ、保存袋をもう1枚重ねて二重にする。
③ ②を保存袋のまま炊飯器に入れ、熱湯（分量外）を肉が浸かるまで注ぎ入れる。重しの皿をのせ、80〜90分保温し、肉の中心部まで火を通す。粗熱が取れたら、切り分けて器に盛る。
④ フライパンに、袋に残った漬けだれを入れて軽く煮詰め、③にかける。

@macaroni_news　炊飯器の保温機能を使って、しっとり仕上げる簡単レシピです。

12/18

れんこんチーズチヂミ

#おつまみ　#粉もの

20min

フライパン　野菜

材料（2～3人分）

れんこん…350g
玉ねぎ…1/4個
ニラ…1/3束
卵…1個
ピザ用チーズ…50g
桜えび…大さじ3
水…80mℓ
薄力粉…大さじ4
片栗粉…大さじ1
ごま油…大さじ1
A
ポン酢しょうゆ…大さじ3
砂糖…小さじ1
ごま油…小さじ1/2
一味とうがらし…少々

下ごしらえ

れんこん≫70gを薄く半月切りにし、酢水（酢は水に対して3%・分量外）に5分さらし、水気を拭き取る。残りはすりおろして、水気を軽く切る

玉ねぎ≫薄切り

ニラ≫3cm長さに切る

作り方

①ボウルに卵を溶きほぐし、水、薄力粉、片栗粉を入れて混ぜ合わせ、すりおろしたれんこん、玉ねぎ、ニラ、ピザ用チーズ、桜えびを加えてさっくりと混ぜ合わせる。

②フライパンにごま油を熱し、①を流し入れ、半月切りにしたれんこんをのせて焼く。焼き色がついたら、裏返してさらに3～5分ほど焼く。

③食べやすい大きさに切り分け、混ぜ合わせたAを添える。

Memo

- すりおろしたれんこんは少しもったりするくらい水気を絞ってください。パサつきやすい場合は水分を少しずつ足してください。
- 半月切りにしたれんこんは裏返すときにはがれないように、軽く押して生地にくっつけながらのせるようにして、はがれやすい場合は、少量の片栗粉をれんこんにまぶしてください。

@macaroni_news　外はシャキシャキ、中はもっちり２つの食感が楽しめます。

12/19

とろとろ白菜のクリーム煮

#簡単レシピ　#中華風

20min

材料（2人分）

白菜…1/8個（250g）
しめじ…1/2袋（50g）
ベーコン（薄切り）…3枚
水…100mℓ
A 鶏ガラスープの素…小さじ1
A しょうゆ…小さじ1
A 塩・こしょう…各少々
牛乳…150mℓ
サラダ油…大さじ1
水溶き片栗粉…大さじ2
（片栗粉…大さじ1
水…大さじ2）

下ごしらえ

白菜≫ざく切り
しめじ≫ほぐす
ベーコン≫1cm幅に切る

作り方

① 鍋にサラダ油を熱し、ベーコンを炒める。焼き色がついたら白菜の芯を加えてしんなりするまで炒め、白菜の葉としめじを加えてさらに炒める。
② 野菜に火が通ったら、水とAを加え、ふたをして弱火で5分ほど煮る。
③ 牛乳を加えてひと煮立ちさせ、弱火にして水溶き片栗粉を加えとろみをつける。お好みで粗びきこしょうをふる。

Memo
■牛乳を豆乳に替えて、みそを少し加えると和風になります。

野菜　鍋

@macaroni_news　牛乳は分離しないように最後に加えます。

12/20

ホタテときのこのアヒージョ風炒め

#作りおき★　#おつまみ　#洋風

15min

材料（2～3人分）

ベビーホタテ…150g
しめじ…1パック（100g）
ブロッコリー…1/2個（100g）
にんにく…1かけ
赤とうがらし（輪切り）…1本分
塩…少々
黒こしょう…少々
オリーブオイル…大さじ3

下ごしらえ

しめじ≫ほぐす
ブロッコリー≫小房に分ける
にんにく≫みじん切り

作り方

① 耐熱容器にブロッコリーを入れ、水で濡らしたキッチンペーパーをのせて、ふんわりとラップをかけて電子レンジ600Wで1分加熱する。
② フライパンにオリーブオイル、にんにく、赤とうがらしを入れて弱火にかけ、香りが立ったらホタテ、①、しめじを加えて弱中火で5分加熱する。
③ 塩、黒こしょうをふり、サッと炒め合わせる。

Memo
■普段の炒め物も多めのオリーブオイルで蒸し焼きにすれば、簡単にアヒージョ風に。

魚　フライパン

@macaroni_news　しっかり味で、盛りつけるだけでおしゃれな一品に。

12/21

よだれなすび

#レンチン　#スピード副菜　#おつまみ

野菜　レンジ

15min

材料（2～3人分）

なす…3本
長ねぎ…1/4本
白すりごま…大さじ1
にんにく（すりおろし）
　…小さじ1/2
しょうが（すりおろし）
　…小さじ1/2
A
　酢…大さじ1
　しょうゆ…大さじ2
　ごま油…大さじ1
　ラー油…大さじ1/2
　砂糖…小さじ2
　鶏ガラスープの素…小さじ1/2

下ごしらえ

なす》ヘタとガクを取り皮をむき、水に5分さらす
長ねぎ》みじん切り

作り方

① なすは1つずつラップに包んで電子レンジ600Wで3分加熱し、ラップを外して粗熱を取り、縦8等分に切る。
② ボウルに長ねぎ、白ごま、にんにく、しょうが、Aを入れ、混ぜ合わせる。
③ 器に①を盛り、②をかけて、お好みで白髪ねぎとパクチーをのせる。

@macaroni_news　花椒を加えると、より本格的な中華の味に仕上がります。

12/22

まるごと焼きチーズピーマン

#洋風　#おもてなし

野菜　トースター

20min

材料（2～3人分）

ピーマン…4個
ピザ用チーズ…60g
玉ねぎ…1/2個
ウインナー…4本
A
　トマトケチャップ…大さじ3
　ウスターソース…大さじ1
　砂糖…小さじ1
　コンソメスープの素
　　…小さじ1
　にんにく（すりおろし）
　　…小さじ1/2
オリーブオイル…小さじ2

下ごしらえ

玉ねぎ》1cm角に切る
ウインナー》5mm幅の輪切り

作り方

① ピーマンは親指でヘタを押して種を取り出し、チーズを詰める。
② ボウルに玉ねぎ、ウインナー、Aを入れて混ぜ合わせ、ふんわりとラップをかけて電子レンジ600Wで4分加熱する。
③ 耐熱皿に②を敷き、①をのせて200℃のトースターで10分加熱する。

Memo
■トースターで焦げそうになった場合は、途中でアルミホイルをかぶせてください。

@macaroni_news　ピーマンにチーズを詰めて、ウインナー入りソースと召し上がれ！

12/23

おうちでローストチキン

#おもてなし　#簡単レシピ

40min

材料（2人分）

鶏もも肉(骨つき)…2本
塩…少々
黒こしょう…少々
A はちみつ…大さじ2
　しょうゆ…大さじ1
　オリーブオイル…大さじ1
　にんにく(すりおろし)…小さじ1

下ごしらえ

鶏もも肉≫骨に沿って切り込みを入れ、皮目にフォークで数か所穴をあける

作り方

① 鶏肉に、塩、黒こしょうをすり込む。
② 密閉保存袋に①とAを入れて揉み、冷蔵庫で20分ほど漬ける。
③ オーブンシートを敷いた天板に②の皮目を上にして並べ、200℃に予熱したオーブンで30分ほど焼く。お好みでグリーンリーフやミニトマトを添える。

Memo

■鶏肉は切り込みを入れると調味料がなじみやすくなります。
■時間があればひと晩置くと中まで味が染み込んでしっとり仕上がります。
■焼いている途中、オリーブオイルを表面に塗るとパリッと仕上がります。

肉
オーブン

@macaroni_news フライパンで焼いても作れます。フライパンのときは皮目を下にして焼いてください。

12/24

サバ缶のトマト煮込み

#おつまみ　#洋風　#簡単レシピ

15min

材料（2人分）

サバ水煮缶…1缶（190g）
トマト缶…150g
玉ねぎ…$\frac{1}{2}$個（100g）
ブロッコリー…$\frac{1}{3}$個
ミニトマト…6個
にんにく…1かけ
ブラックオリーブ(スライス)…適量
塩・黒こしょう…各少々
オリーブオイル…大さじ1

下ごしらえ

玉ねぎ≫5㎜厚さの薄切り
ブロッコリー≫小房に分ける
にんにく≫包丁の腹でつぶす

作り方

① フライパンにオリーブオイルを熱し、にんにくを炒める。香りが立ったら玉ねぎを加えて、さらに炒める。
② 玉ねぎが透き通ったら、サバ缶、トマト缶、ブロッコリー、オリーブを加えて5分ほど煮込む。
③ 塩・黒こしょう、ミニトマトを加えてサッと煮る。お好みでイタリアンパセリをのせる。

Memo

■煮込む際にローリエやタイムなどのハーブを加えると、さらにおいしくなります。

魚
フライパン

@macaroni_news サバ缶のうまみとトマトの酸味がぜいたくな味わいです。

12/25

基本のキッシュ

#基本のレシピ　#おもてなし

⏱60min

オーブン　その他

材料（18㎝タルト型1台分）

〈パイ生地〉
薄力粉…150g
オリーブオイル…60㎖
牛乳…60㎖
塩…2g

〈フィリング〉
ベーコン（薄切り）…3枚（30g）
玉ねぎ…½個（50g）
ほうれん草…100g
塩・こしょう…各少々
サラダ油…大さじ1
卵…2個
A
　生クリーム…100㎖
　ナツメグ…少々
　塩・こしょう…各少々
粉チーズ…大さじ1

下ごしらえ

薄力粉≫ふるう
ベーコン≫1㎝幅に切る
玉ねぎ≫5㎜厚さの薄切り
ほうれん草≫3㎝長さに切る
型に薄くバターを塗る
オーブンは200℃に予熱する

作り方

① パイ生地を作る。ボウルで薄力粉、オリーブオイル、牛乳、塩を混ぜ、ひとかたまりにする。
② まな板に打ち粉をふって①を置き、めん棒で3〜4㎜厚さ、型より少し大きめにのばす。
③ 型にかぶせ、側面は指で押さえてなじませ、余分な生地は切り落とす。
④ 生地の底一面にフォークで穴をあけ、オーブンで10〜15分焼く。取り出して粗熱を取る。
⑤ フィリングを作る。フライパンにサラダ油を熱し、ベーコン、玉ねぎ、ほうれん草を順に炒め、塩・こしょうで味をととのえる。火からおろして粗熱を取る。
⑥ ボウルに卵を溶きほぐし、Aを加えてよく混ぜる。
⑦ ④に⑤を広げ、⑥を流し入れて粉チーズをかける。200℃のオーブンで20〜25分焼く。粗熱を取り、型から出して食べやすい大きさに切り分ける。

@macaroni_news　具材たっぷりのキッシュはパーティーにはもちろん、朝食や昼食にもぴったり。

12/26

えびとアボカドのスティック春巻き

#おつまみ　#おもてなし　#お弁当

魚　フライパン

30min

材料（2～3人分）

アボカド…1個
無頭えび…8尾
プロセスチーズ…3個
春巻きの皮…8枚
塩・こしょう…各少々
レモン果汁…小さじ1
水溶き薄力粉
（薄力粉・水…各小さじ2）
サラダ油…適量

〈ソース〉
マヨネーズ…大さじ2
ケチャップ…小さじ2

下ごしらえ

アボカド≫サイコロ状に切る
えび≫3等分にし、塩水（分量外）で洗い、水気を拭き取る
プロセスチーズ≫5㎜角に切る
ソース≫混ぜ合わせる

作り方

①ボウルにアボカド、えび、チーズ、塩・こしょう、レモン果汁を入れて軽く混ぜ合わせる。
②①を⅛量ずつ春巻きの皮にのせ、スティック状に巻き上げ、水溶き薄力粉でとめる。
③フライパンに2㎝深さのサラダ油を170℃に熱し、②をきつね色になるまで揚げ、ソースを添える。

@macaroni_news　一度で一気に揚げると油の温度が下がってしまうので、2回に分けて。

12/27

レンジで鮭の包み焼き

#簡単レシピ　#レンチン　#ヘルシー

魚　レンジ

15min

材料（2人分）

生鮭…2切れ
キャベツ…80g
玉ねぎ…50g
えのきだけ…30g
A
─みそ…大さじ1
─みりん…大さじ1
─しょうゆ…小さじ1
バター…20g

下ごしらえ

キャベツ≫ざく切り
玉ねぎ≫薄切り
えのきだけ≫ほぐす
A≫混ぜ合わせる

作り方

①オーブンシートにすべて半量ずつのキャベツ、玉ねぎ、えのき、鮭の順にのせ、Aをかけ最後にバターをのせる。両端をキャンディのようにねじって包み、耐熱皿にのせる。
②電子レンジ600Wで4分加熱し、お好みで粗びき黒こしょうをふる。

Memo
■鮭の大きさや厚さによって加熱時間が変わってきますので、様子を見ながら調節してください。
■野菜はお好みでアレンジしてください。

@macaroni_news　包み焼きにすることで鮭がふわっと仕上がります。

12/28

揚げ出し豆腐のかにかまあんかけ

#節約レシピ　#おつまみ　#和風

⏱30min

フライパン　その他

材料（2人分）

絹豆腐…300g
しめじ…70g
かに風味かまぼこ…80g
片栗粉…適量
水…200㎖
酒…大さじ2
鶏ガラスープの素…小さじ1
A しょうゆ…小さじ2
しょうが（すりおろし）…1かけ
水溶き片栗粉…大さじ1
（片栗粉…小さじ2
水…大さじ1）
サラダ油…大さじ3

下ごしらえ

絹豆腐≫キッチンペーパーで包み耐熱容器に入れ、電子レンジ600Wで2分加熱する。重しをのせて5分置いて水切りし、6等分に切る
しめじ≫ほぐす
かに風味かまぼこ≫ほぐす

作り方

① 豆腐に片栗粉をまぶす。
② フライパンにサラダ油を熱し、①を入れ、全面に焼き色がつくように転がしながら揚げ焼きにする。
③ フライパンをきれいにして、水、A、しめじ、かにかまを入れて火にかけ、ひと煮立ちさせる。
④ 火を弱めて水溶き片栗粉を回し入れ、とろみがついたら②にかける。お好みで青ねぎをのせる。

Memo

■薄力粉を使用するよりも表面がサクサクとした軽い食感になるので、片栗粉を使用するのがおすすめです。

@macaroni_news　コスパ最強食材のかにかまときのこたっぷりのあんかけがおいしい。

12/29

大根のナムル

#加熱なし　#材料ひとつだけ　#おつまみ

5 min

材料（2人分）

大根…200g
塩…小さじ1/4
A
酢…小さじ2
ごま油…小さじ2
鶏ガラスープの素…小さじ1/2
砂糖…小さじ1 1/2
しょうゆ…小さじ1/2
にんにく（すりおろし）…少々

下ごしらえ

大根≫5㎜幅のせん切りにして塩をまぶし、10分ほど置いたら水気を絞る

作り方

① ボウルに大根とAを入れて混ぜ合わせる。
② 冷蔵庫で15分ほど漬け込む。お好みで白いりごまをふる。

Memo

■味なじみをよくするため、水気はしっかりと絞ってください。
■にんにくの量はお好みで調整してください。

野菜

なし

@macaroni_news　さっぱりしていて、箸休めにおすすめ。余った大根を使っても。

12/30

鶏むね肉のみぞれ煮

#簡単レシピ　#ご飯がすすむ　#節約レシピ

20 min

材料（2人分）

鶏むね肉…250g
大根…150g
塩・こしょう…各適量
片栗粉…大さじ1
めんつゆ（3倍濃縮）…大さじ1と1/2
サラダ油…小さじ2

下ごしらえ

鶏むね肉≫一口大に切る
大根≫すりおろす

作り方

① 鶏肉に塩・こしょうをふり、片栗粉をまぶす。
② フライパンにサラダ油を熱し、①を火が通るまで7分ほど炒める。
③ 余分な油を拭き取り、大根おろしを加え全体がなじんだら、めんつゆを入れ火から下ろす。お好みで青ねぎ、七味とうがらしをふる。

Memo

■片栗粉は鶏むね肉全体にまんべんなくまぶしてください。
■お好みでなすやしめじなどを加えても。

肉

フライパン

@macaroni_news　パサつきがちな鶏むね肉が片栗粉＆大根おろしでしっとり柔らか。

12/31

えびと玉ねぎのかき揚げ

#基本のレシピ　#おもてなし　#おつまみ

20min

フライパン　魚

材料（2人分）

玉ねぎ…1個
むきえび…100g
塩…少々
片栗粉…大さじ1
薄力粉…大さじ1
A ─片栗粉…60g
　 薄力粉…60g
　 ─冷水…100㎖
揚げ油…適量

下ごしらえ

玉ねぎ≫薄切り
むきえび≫塩と片栗粉をよく揉み込んだら水で洗い、水気を拭き取る

作り方

① ボウルに玉ねぎとえびを入れ、薄力粉を加えてさっくりと混ぜ合わせる。
② 別のボウルにAを混ぜ合わせて衣を作る。
③ ②のボウルに①を入れて衣を絡め、木べらなどですくって箸で形をまとめる。
④ 170℃の揚げ油にすべらせるように落とし、3分揚げ、揚げ色がついたら裏返す。表面が固まってきたら均一に火が通るように菜箸で数か所に穴を開け、さらに3分揚げる。

Memo

- むきえびは背ワタがある場合は、竹串で取り除いてください。
- 具材に薄力粉をまぶすこと（打ち粉）で衣が絡みやすくなります。
- 揚げているときに菜箸で数か所穴を開けることで均一に火が通り、サクサク食感に仕上がります。

@macaroni_news　えびのうまみと玉ねぎの甘みがぎゅっと詰まった基本のレシピ。

Column 10

おかず作りに役立つ 調理HACKのアイデア Part 1

ちょっとしたことだけど、知っていると調理の際に役立つ
時短＆便利アイデアをご紹介します。

ごぼうはアルミホイルで洗う

くしゃっと丸めたアルミホイルでこすると、すばやくきれいに土が落とせます。

長いもはたたいてすりおろし状に

長いもは、皮をむき、ポリ袋に入れてめん棒でたたくと、すりおろし器を使わずともすりおろしたようになります。

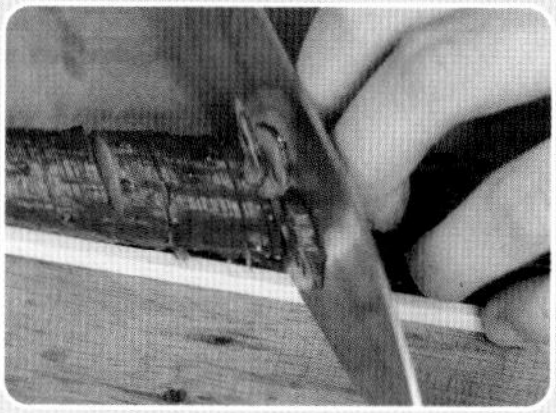

きゅうりの切り込みは 割り箸がお助け!

割り箸2本できゅうりを挟んで包丁を入れると、切り落としてしまうことなく、切り込みを入れることができます。

こんにゃくの切り込みは フォークにおまかせ

フォーク（またはねぎカッター）を使うと、こんにゃくにすばやく楽に切り込みを入れることができます。

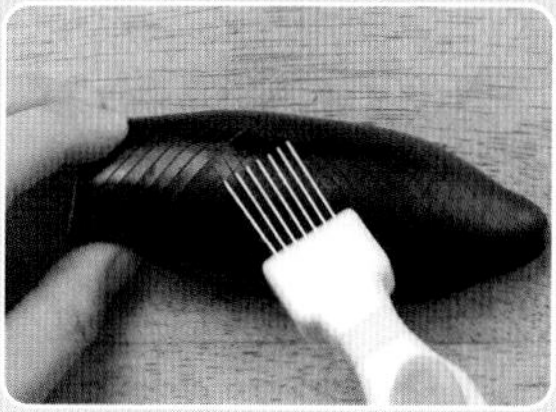

なすの切り込みには ねぎカッターが便利

ねぎカッターを使うと、すばやく格子状に切り込みを入れることができます。

««« part2は229ページへ

01/01

基本のローストビーフ

#基本のレシピ　#材料ひとつだけ　#おもてなし

フライパン　肉

材料（2〜3人分）

牛もも肉（ブロック）…300g
塩…小さじ1/3
こしょう…少々
オリーブオイル…大さじ1
〈ソース〉
玉ねぎ…1/2個
A
酒…大さじ3
みりん…大さじ3
しょうゆ…大さじ1
砂糖…小さじ2

下ごしらえ

牛もも肉≫室温に戻し、フォークで数か所刺す
玉ねぎ≫すりおろす
オーブンを160℃に予熱する

作り方

① 牛肉に塩、こしょうをすり込む。
② フライパンにオリーブオイルを強火で熱し、①を入れて1面1分ずつ焼き、全面に焼き色がついたら取り出す。
③ アルミホイルを二重に広げて②を包み、オーブンで15〜20分焼く。取り出して常温に30分ほど置いて休ませる。
④ ②のフライパンに玉ねぎとAを入れて火にかけ、ひと煮立ちしたら弱火で5分ほど煮詰める。
⑤ ③を薄く切って器に並べ、④のソースをかける。お好みでクレソン、マッシュポテトを添える。

Memo

- 牛肉は冷えたまま加熱すると、中が生焼けになってしまうので常温に戻しておいてください。
- 牛肉が大きい場合は5〜10分ほど加熱時間を長くしてください。
- 肉のかたまりが大きい場合はたこ糸を巻きつけて焼くと、形が崩れずきれいに仕上がります。
- できたての状態で切ると肉汁が出てしまうので、30分ほど休ませてから切ってください。

@macaroni_news　失敗知らずの本格レシピ。おもてなしやパーティーにもおすすめ。

01/02

春菊のナムル

#基本のレシピ　#材料ひとつだけ　#スピード副菜

野菜　鍋

5 min

材料（3人分）

春菊…1束（200g）
塩…大さじ1
A ごま油…大さじ½
A 白いりごま…小さじ1
A 鶏ガラスープの素…小さじ½

作り方

① 鍋に水1・5ℓ（分量外）を沸かし、塩を加えて春菊の茎部分を入れて30秒ゆでる。葉部分を入れてさらに30秒ゆでる。
② 春菊を冷水に取り、水気を絞って一口大に切る。
③ ボウルにAを入れて混ぜ合わせ、春菊を加えて全体をあえる。

Memo
■春菊は茎と葉のゆで時間を変えることで食感を均一にし、味もなじみやすく仕上がります。
■調味料はしっかり混ぜ合わせてから春菊を加えてください。

@macaroni_news 鶏ガラスープの素で簡単に味が決まります！

01/03

大根のべったら漬け風

#作りおき★　#簡単レシピ　#加熱なし

野菜　なし

5 min

材料（4～5人分）

大根…1本
赤とうがらし…3本
A 砂糖…200g
A 牛乳…60㎖
A 酢…60㎖
A 塩…40g

下ごしらえ

大根≫5㎜厚さのイチョウ切り

作り方

① ボウルに大根、赤とうがらし、Aを入れてよく混ぜる。
② ラップをかけて、冷蔵庫で1～2時間ほど置き、味をなじませる。
③ 冷蔵庫から取り出して軽く混ぜる。清潔な保存容器に入れ、冷蔵庫で保存する。

Memo
■保存期間は2～3日が目安です。
■お酢を加えることで、時間がたってもパリパリとした食感を楽しむことができます。
■ゆずの皮を入れて作ってもおいしいです。

@estyle1010 麹や甘酒の代わりに牛乳を使って、手軽にべったら漬けが作れます。

01/04

キャベツのお浸し

#材料ひとつだけ　#レンチン　#スピード副菜

野菜
レンジ

10min

材料（3～4人分）

キャベツ…3枚（200g）
A
- めんつゆ（ストレート）…大さじ3
- 酢…大さじ½
- ごま油…大さじ½

削り節…3g

下ごしらえ

キャベツ≫ざく切り

作り方

① 耐熱ボウルにキャベツを入れ、ふんわりとラップをかけて電子レンジ600Wで4分加熱する。粗熱を取り、水気をしっかり絞る。

② Aを加えて混ぜ合わせ、削り節を加え、全体をさらに混ぜる。

Memo
- キャベツの芯のかたさが気になる場合は、芯をそぎ切りにし、斜め薄切りにしてください。
- 水気をしっかり絞ることで、味がなじみやすくなります。

@macaroni_news　レンジで作れる忙しい日にぴったりの簡単副菜です。

01/05

厚揚げ肉豆腐

#おつまみ　#ご飯がすすむ

肉
フライパン

30min

材料（3～4人分）

厚揚げ…2枚
牛こま肉…60g
長ねぎ…⅓本
卵…1個
片栗粉…大さじ1
A
- 水…200mℓ
- しょうゆ・みりん…各大さじ2
- 砂糖…大さじ1
- しょうが…1かけ

ごま油…大さじ½

下ごしらえ

厚揚げ≫斜め2等分に切り、断面に切り込みを入れる
長ねぎ≫斜め薄切り
しょうが≫みじん切り

作り方

① ボウルに牛肉、長ねぎ、卵、片栗粉を入れて全体がなじむまで混ぜ合わせ、厚揚げの切り込みに¼量ずつ詰める。

② 深めのフライパンにごま油を熱し、厚揚げの切り口を下にして並べ入れ焼く。全面に焼き色がついたら、Aを加えて煮立たせる。

③ 弱火にして落としぶたをし、15分ほど煮る。お好みで溶きほぐした卵黄、青ねぎをかける。

@macaroni_news　厚揚げがうまみを吸って、噛むたびおいしさが広がります。

01/06

鮭のみりん漬け焼き

#作りおき★　#お弁当　#ご飯がすすむ

材料（2～3人分）

生鮭…3切れ
塩…少々
みりん…60mℓ
しょうゆ…大さじ1
サラダ油…小さじ2

下ごしらえ

生鮭≫骨を取り除き、塩をふって5分ほど置く。余分な水分を拭き取り、3～4等分に切る

作り方

① 密閉保存袋に鮭、みりん、しょうゆを入れて軽く揉み、冷蔵庫で半日以上漬け込む。
② 袋から鮭を取り出し、水気を拭き取る（漬け汁は大さじ2杯分取っておく）。
③ フライパンにサラダ油を熱し、鮭を入れて焼く。両面焼き色がついたらふたをして中まで火を通し、ふたをあけて②で取り出した漬け汁を加えて煮絡める。

Memo

■表面に焼き色をつけた後にふたをして蒸し焼きにすることで、身がふっくらと仕上がります。
■漬け汁を煮絡めるときは身割れを防ぐため、触りすぎないように気をつけてください。

魚
フライパン

@macaroni_news　みりんとしょうゆに漬け込んで、香ばしく焼き上げます。

01/07

ほうれん草とちくわのナムル

#レンチン　#簡単レシピ　#節約レシピ

材料（2人分）

ほうれん草…1束
ちくわ…2本
A
ごま油…小さじ2
鶏ガラスープの素…小さじ1/2
にんにく（すりおろし）…小さじ1/4
砂糖…小さじ1/4
しょうゆ…小さじ1/4

下ごしらえ

ちくわ≫縦2等分に切り、斜め切り

作り方

① ほうれん草をラップで包み、電子レンジ600Wで2分30秒加熱する。冷水にさらし、水気をしっかりと絞り、3～4cm長さに切る。
② ボウルにAを入れて混ぜ合わせ、ほうれん草、ちくわを入れてあえる。お好みで白いりごまをふる。

Memo

■ほうれん草は冷水にさらした後、味がぼやけないように水気をしっかりと絞ってください。
■調味料は先に混ぜ合わせておくと、味のなじみがよくなります。

野菜
レンジ

@macaroni_news　ちくわを入れることでボリュームとうまみがアップします。

01/08

ゆず大根

#作りおき★　#おつまみ　#加熱なし

野菜

なし

15min

材料（3～4人分）

大根…½本（500g）
ゆず…1個
塩…大さじ1
砂糖…大さじ3
酢…大さじ3

下ごしらえ

大根≫1cm幅の拍子木切り

作り方

① ゆずはまな板上で転がして果肉を柔らかくし、ヘタから1cmを切り落として果汁を搾る。皮は、黄色い部分を包丁で薄くむき、せん切りにする。
② 厚手のポリ袋に大根と塩を入れ揉み込み、10分置く。袋の角を切り落とし、水分を絞る。
③ 保存容器に②を入れ、①の果汁と皮、砂糖、酢を加えてよく混ぜる。上下を返すようにときどき混ぜながら、冷蔵庫で1時間漬ける。

Memo

■ゆずはあらかじめ手で押しつぶすように転がすと、力を入れなくても簡単に果汁が搾れます。
■皮はお好みですりおろしても香りよく仕上がります。

@macaroni_news　冬の作りおきの定番！　とうがらしを加えてピリ辛にしても。

01/09

白菜と豚肉のすき焼き風炒め

#節約レシピ　#おつまみ　#ご飯がすすむ

肉

フライパン

15min

材料（2～3人分）

豚こま肉…200g
白菜…⅙個
厚揚げ…1枚
砂糖…大さじ1
A
しょうゆ…大さじ2
酒…大さじ2
みりん…大さじ2
サラダ油…小さじ2

下ごしらえ

白菜≫ざく切り
厚揚げ≫縦半分に切り、1cm幅に切る

作り方

① フライパンにサラダ油を熱し、豚肉、砂糖を入れて炒め、色が変わったら取り出す。
② 同じフライパンに、白菜の芯、厚揚げを入れてサッと炒めたら豚肉を戻し入れ、白菜の葉を加えてサッと炒める。
③ Aを入れて煮詰める。お好みで溶き卵を添える。

Memo

■白菜は芯を先に炒めて、しっかりと火を通してください。
■豚肉は鶏肉や牛肉に替えてもおいしいです。

@macaroni_news　白菜、豚こま肉、厚揚げをフライパンで炒めて、すき焼き風に。

01/10

照り焼き豚つくねのしそ巻き

#作りおき★　#お弁当　#おつまみ

30min

フライパン　肉

材料（2〜3人分）

豚ひき肉…300g
大葉…8枚
長ねぎ…½本
塩・こしょう…各少々
片栗粉…大さじ1
しょうゆ…小さじ2
A
しょうゆ…大さじ2
酒…大さじ2
みりん…大さじ2
砂糖…大さじ1
サラダ油…大さじ1

下ごしらえ

長ねぎ》みじん切り

作り方

① ボウルにひき肉、長ねぎ、塩・こしょう、片栗粉、しょうゆを入れて粘りが出るまでこね、⅛量分ずつ丸めて大葉で包む。
② フライパンにサラダ油を熱し、大葉の面を下にして①を入れる。3分焼いて裏返し、ふたをして弱火で5分蒸し焼きにする。
③ ②にAを加え、汁気がなくなるまで煮絡める。

Memo

■つくねの大きさによって火の通りに差が出るので、焼き時間は調整してください。
■Aは、つくねにしっかりと絡むくらいのとろみ具合まで煮詰めるのがおすすめです。

@macaroni_news　つくねといえば鶏ひき肉が多いですが、今回は豚ひき肉でボリュームたっぷり！

01/11

焼きねぎの香ばしお浸し

#作りおき★ #おつまみ #簡単レシピ

野菜
フライパン

15min

材料（3～4人分）

長ねぎ…3本
ごま油…大さじ1
だし汁…100㎖
（和風だしの素…小さじ½
水…100㎖）
A
しょうゆ…大さじ2
酒…大さじ2
みりん…大さじ2
砂糖…大さじ1

下ごしらえ

長ねぎ≫5㎝長さに切る

作り方

① フライパンにごま油を熱し、長ねぎを並べ入れる。強めの中火で表面に焼き色をつけたら取り出す。
② フライパンをきれいにしてAを入れ、煮立たせる。
③ 保存容器に①を入れて②をかけ、粗熱が取れたら冷蔵庫で冷やす。お好みで赤とうがらしをのせる。

Memo
■長ねぎの表面にしっかり焼き色をつけると香ばしいお浸しに仕上がります。
■お好みで赤とうがらしを加えてピリ辛味にしても。

@macaroni_news 長ねぎはじっくり焼いて、甘みを引き出します。

01/12

納豆キムチのチーズ焼き

#おつまみ #包丁いらず #簡単レシピ

その他
フライパン

20min

材料（2～3人分）

納豆…1パック（50g）
白菜キムチ…50g
ピザ用チーズ…50g
納豆のたれ…1パック分
片栗粉…大さじ2
ごま油…小さじ2

作り方

① ボウルに納豆、キムチ、チーズ、納豆のたれを加えてよく混ぜる。片栗粉を加えて粉気がなくなるまでさらに混ぜる。
② フライパンにごま油を熱し、スプーンなどで①を一口大に丸く成形しながらのせ、両面こんがりするまで焼く。

Memo
■納豆はお好みのものを使ってください。
■キムチは加熱することで、うまみが増します。

@macaroni_news 冷蔵庫に常備していることの多い材料を混ぜて焼くだけ！

01/13

青じそ香るちくわ餃子

#お弁当　#おつまみ　#作りおき

肉
フライパン

材料（2～3人分）

ちくわ…8本
豚ひき肉…130g
キャベツ…2枚
大葉…6枚
A にんにく（すりおろし）…小さじ1
　しょうが（すりおろし）…小さじ1
　オイスターソース…小さじ1
　酒…大さじ1/2
　しょうゆ…小さじ1/3
　塩・こしょう…各少々
　ごま油…大さじ1

下ごしらえ

ちくわ≫縦に切れ目を入れる
キャベツ、大葉≫みじん切り

作り方

① キャベツは塩少々（分量外）をふって揉み、水気を絞る。
② ポリ袋にひき肉、キャベツ、大葉、Aを入れて粘りが出るまで揉み込む。袋の角を切り、ちくわに絞り出して詰め、斜め2等分に切る。
③ フライパンにごま油を熱し、②を並べ入れる。焼き色がついたら裏返してふたをして4～5分弱中火で蒸し焼きする。仕上げにごま油（分量外）を回しかける。お好みで酢じょうゆを添える。

@macaroni_news　餃子の皮いらずで、ちくわと肉だねのうまみがたっぷり詰まった一品。

01/14

チーズの羽根つきアボカド

#おつまみ　#簡単レシピ

野菜
フライパン

材料（2人分）

スライスチーズ（とろけるタイプ）…4枚
アボカド…1/2個
黒こしょう…少々

下ごしらえ

スライスチーズ≫4等分に切る
アボカド≫種を取り、5㎜幅に切る

作り方

① フライパンにスライスチーズを並べ、アボカドをのせて火にかける。チーズがきつね色になったら黒こしょうをふって裏返し、サッと焼く。

Memo
■そのままでも十分おいしいですが、お好みでケチャップやチリソースをディップするのもおすすめです。

@macaroni_news　アボカドとチーズだけで作れる簡単おつまみ！

01/15

鮭と長ねぎの南蛮漬け

#作りおき★　#ご飯がすすむ

⏱20min

フライパン　魚

材料（2〜3人分）

生鮭…3切れ
長ねぎ…2本
レモン…1/3個
塩・こしょう…各少々
片栗粉…適量
サラダ油…大さじ3
〈南蛮酢〉
だし汁…100㎖
（和風だしの素…小さじ1/3
水…100㎖）
酢…大さじ3
砂糖…大さじ2
しょうゆ…大さじ1
赤とうがらし（輪切り）…1本分

下ごしらえ

鮭≫4等分に切る
長ねぎ≫4㎝長さに切る
レモン≫多めの塩（分量外）で揉むようにしながら表面をこすり、流水で洗い、5㎜幅の輪切り

作り方

① 鮭に塩・こしょうをふり、片栗粉をまぶす。
② 鍋に南蛮酢の材料とレモンを入れて火にかけ、ひと煮立ちしたら火からおろす。
③ フライパンにサラダ油を熱し、①の鮭と長ねぎを入れ、両面にしっかり焼き色をつけながら火が通るまで焼く。
④ 保存容器に③を入れて②をかける。

Memo

■ 外国産のレモンを使用する場合は、防カビ剤や農薬が付着している可能性がありますので、表面の皮をむいてから使用するのがおすすめです。

@macaroni_news 鮭と長ねぎをこんがり焼き、熱いうちに南蛮酢をかけてジューシーに。

⏱15min

01/16

よだれ厚揚げ

#おつまみ　#節約レシピ　#ご飯がすすむ

その他 ／ フライパン

材料（2～3人分）

厚揚げ…2枚

A
- 長ねぎ…½本
- しょうゆ…大さじ2と½
- 酢…大さじ2
- 花椒…大さじ½
- はちみつ…小さじ2
- オイスターソース…小さじ1
- ラー油…小さじ1
- にんにく（すりおろし）…小さじ1
- しょうが…1かけ

ごま油…大さじ1

下ごしらえ

厚揚げ≫縦4等分に切る
長ねぎ、しょうが≫みじん切り
花椒≫砕く

作り方

① フライパンにごま油を熱し、厚揚げを並べ入れて全面焼き色がつくまで焼き、器に盛る。
② ボウルにAを入れて混ぜ合わせ、①にかける。お好みで青ねぎをかける。

Memo
■厚揚げは焼き目がつくまで香ばしく焼くとカリカリの食感になります。
■Aのはちみつは、代わりに砂糖を使用しても。

@macaroni_news　よだれ鶏ならぬ、よだれ厚揚げ！　カリッと焼き上げて召し上がれ。

⏱25min

01/17

おからパウダーでお好み焼き

#ヘルシー　#おつまみ　#おやつにも

その他 ／ フライパン

材料（2人分）

豚バラ肉（薄切り）…50g
キャベツ…200g
長いも…30g
おからパウダー…30g
水…150mℓ
卵…1個
天かす…20g

A
- 和風だしの素…小さじ1
- しょうゆ…小さじ1

サラダ油…大さじ1
お好み焼きソース…適量
マヨネーズ…適量

下ごしらえ

キャベツ≫粗みじん切り
長いも≫すりおろす

作り方

① ボウルに長いも、おからパウダー、水、Aを入れ混ぜる。キャベツ、卵、天かすも加え、まんべんなく混ぜ合わせる。
② フライパンにサラダ油を熱し、①を入れ丸く形をととのえる。
③ ②の上に豚肉をのせ、5分ほど焼き、裏返す。ふたをしてさらに5分蒸し焼きにする。器に盛り、ソースとマヨネーズをかける。お好みで青ねぎや削り節をちらす。

Memo
■もやしなど、ほかの食材を加えてアレンジしても。

@macaroni_news　おからパウダーを使って糖質オフに。

01/18

ぶりのみそ煮

#基本のレシピ　#ご飯がすすむ　#和風

魚　鍋

20min

材料（2人分）

ぶり…2切れ
塩…少々
しょうが…1かけ
A 水…100mℓ
酒…大さじ3
みりん…大さじ2
砂糖…大さじ1
しょうゆ…小さじ1
みそ…大さじ3

下ごしらえ

ぶり≫塩をふり10分置き、水分を拭き取る
しょうが≫皮のまま薄切り

作り方

① 鍋にたっぷりの湯（分量外）を沸かして、ぶりを1切れずつサッとくぐらせて冷水に取り、水気を拭き取る。
② 鍋にAを入れて火にかける。ひと煮立ちしたらぶりを並べ入れてしょうがをちらし、火を止める。
③ ボウルにみそを入れ、②の煮汁を少量ずつ加えて溶き混ぜ、鍋に戻して再び火にかける。落としぶたをして弱火で5分煮る。
④ 落としぶたを取り、煮汁を回しかけながらさらに5分煮詰め、とろみをつける。お好みで白髪ねぎをのせる。

Memo
■下ゆでした大根と一緒に煮るのもおすすめです。

@macaroni_news　ぶりは臭みと取るために、サッと熱湯にくぐらせるのがポイント。

01/19

豆腐そぼろ

#節約レシピ　#ご飯のおとも　#ヘルシー

その他　フライパン

10min

材料（2～3人分）

木綿豆腐…200g
しょうゆ…大さじ2
酒…大さじ2
みりん…大さじ1
砂糖…大さじ½
サラダ油…大さじ½

下ごしらえ

木綿豆腐≫キッチンペーパーで包み、耐熱皿にのせて電子レンジ500Wで3分加熱し、水切りする

作り方

① フライパンにサラダ油を熱し、豆腐を入れて崩しながら水分を飛ばす。
② しょうゆ、酒、みりん、砂糖を加えて水気がなくなるまで煮詰める。お好みで炒り卵と一緒にご飯にのせる。

Memo
■豆腐はしっかり水切りしてください。
■絹豆腐でもおいしく作れます。

@macaroni_news　低カロリー＆低コスト！　炒り卵と一緒にご飯にのせてどうぞ。

20min

01/20

鶏むね肉とれんこんの甘辛炒め

#ご飯がすすむ　#おつまみ　#簡単レシピ

肉
フライパン

材料（2～3人分）

れんこん…160g
鶏むね肉…1枚
塩・こしょう…各少々
にんにく(すりおろし)…小さじ1/2
片栗粉…大さじ2
A しょうゆ…大さじ2
A 酒…大さじ2
A みりん…大さじ2
A 砂糖…小さじ1
A 粗びき黒こしょう…小さじ1/3
サラダ油…大さじ2

下ごしらえ

れんこん≫1cm厚さの半月切りにし、サッと水にさらして水気を拭き取る
鶏むね肉≫そぎ切り

作り方

① れんこんは片栗粉をまぶす。鶏肉は塩・こしょう、にんにく、片栗粉をまぶす。
② フライパンにサラダ油大さじ1を熱し、れんこんを並べ、両面焼き目がつくまで焼き、取り出す。
③ 同じフライパンにサラダ油大さじ1を熱し、鶏肉を焼く。片面に焼き色がついたら裏返し、ふたをして弱火で2～3分ほど蒸し焼きし、れんこんを戻し入れる。
④ Aを加えて、全体に絡める。お好みで青ねぎをちらす。

@macaroni_news 鶏むね肉は蒸し焼きにすると、しっとり柔らかに仕上がります。

15min

01/21

豆腐のキムチチヂミ

#おつまみ　#節約レシピ　#簡単レシピ

その他
フライパン

材料（2人分）

絹豆腐…120g
片栗粉…大さじ3
A 白菜キムチ…60g
A しょうゆ…小さじ1/2
A 塩…少々
ごま油…大さじ1

下ごしらえ

豆腐≫水切りする

作り方

① ボウルに豆腐を入れ、細かくつぶして片栗粉を加えて混ぜ合わせる。Aを加えてさらによく混ぜる。
② フライパンにごま油を熱し、①を入れて平らにならす。
③ 片面がカリッとするまで5分ほど弱中火で焼き、裏返してさらに3分焼き、食べやすい大きさに切る。

Memo
■味がしっかりついているので、そのままおいしく食べられます。

@yuchan0333 キムチでしっかり味つけされているので、そのままでおいしい！

01/22

まるごと蒸しなすのごまポンあえ

#レンチン　#材料ひとつだけ　#スピード副菜

野菜
レンジ

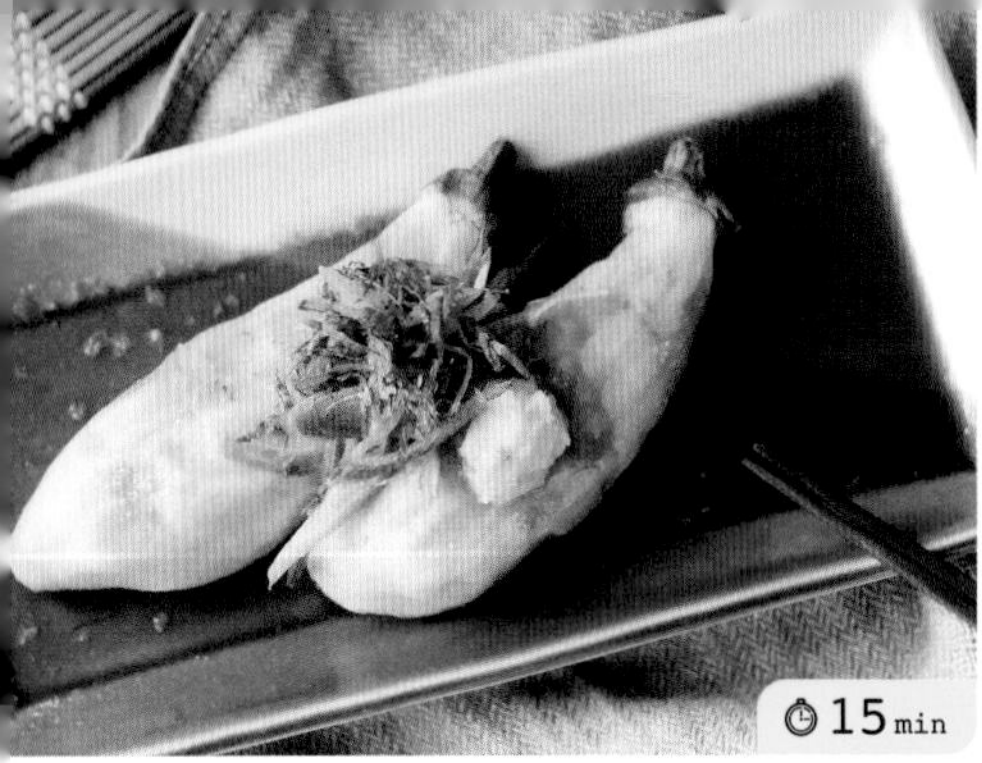
15min

材料（2人分）

なす…2本
ポン酢しょうゆ
…大さじ1と1/2
A 白すりごま…大さじ1/2
ごま油…小さじ1
しょうゆ…小さじ1/2
大葉（細切り）…適量
みょうが（薄切り）…適量
しょうが（すりおろし）…適量

下ごしらえ

なす≫ガクと皮を取り除き、水に5分さらす
A≫混ぜ合わせる

作り方

① なすは1本ずつラップに包んで電子レンジ600Wで3分加熱する。ラップを外して粗熱を取る。
② なすにAをかける。仕上げに大葉、みょうが、しょうがをのせる。

Memo
■ なすを加熱した後は、とても熱いので火傷に気をつけてください。
■ なすの大きさに合わせ、レンジでの加熱時間は様子をみて調節してください。

@macaroni_news 皮をむいたなすをまるごとレンチンして作ります。

01/23

こんにゃくときのこの甘辛煮

#簡単レシピ　#スピード副菜　#作りおき★

きのこ
フライパン

25min

材料（2〜3人分）

こんにゃく…1枚（220g）
しいたけ…6枚
まいたけ…1パック（100g）
ごま油…大さじ1
しょうが（すりおろし）
…小さじ1
A
だし汁…100mℓ
（和風だしの素…小さじ1/3
水…100mℓ）
しょうゆ…大さじ2
砂糖・酒…各大さじ1
みりん…大さじ1/2

下ごしらえ

こんにゃく≫格子状に切り込みを入れ、一口大にちぎる
しいたけ≫2等分に切る
まいたけ≫ほぐす

作り方

① 耐熱容器にこんにゃくとかぶるくらいの水（分量外）を入れ、ふんわりとラップをかけて電子レンジ600Wで2分加熱し、水気を切る。
② フライパンを熱し、①を入れて1分ほど乾煎りする。ごま油、しょうがを加えてさらに炒め合わせる。
③ しいたけとまいたけを加えて炒め合わせ、Aを加えて落としぶたをし、弱中火で10〜15分ほど煮詰める。

@macaroni_news こんにゃくは切り込みを入れて、味をしっかり染み込ませて。

30min

スンドゥブチゲ

#韓国風　#ご飯がすすむ

鍋　魚

材料（2〜3人分）

おぼろ豆腐…1丁（300g）
豚バラ肉（薄切り）…100g
えのきだけ…100g
長ねぎ…½本
あさり…150g
水…300㎖
酒…大さじ2

A
にんにく（すりおろし）…1かけ分
しょうが（すりおろし）…1かけ分
コチュジャン…大さじ1
赤とうがらし（パウダー）…大さじ1
塩・こしょう…各少々

ごま油…大さじ1
卵…1個

下ごしらえ

豚バラ肉≫3㎝幅に切る
えのきだけ≫長さを半分に切りほぐす
長ねぎ≫5㎜幅の斜め薄切り
あさり≫塩水に浸して砂抜きし、殻をこすり合わせてよく洗う

作り方

①ボウルに豚肉とAを入れて混ぜ合わせる。

②鍋にごま油を熱し、①を入れて色が変わるまで炒める。えのき、長ねぎ、水、酒を加えてひと煮立ちさせ、アクを取りながら5分ほど煮る。

③②にあさりを入れ、豆腐をスプーンで大きくすくいながら入れて煮立たせる。あさりの口が開いたら、卵を割り入れる。お好みで青ねぎをちらす。

Memo

■パウダー状のとうがらしがない場合は一味とうがらしでも代用できます。お好みの辛さに調節して作ってください。

@macaroni_news　うまみたっぷり食材と煮込み、うま辛なチゲで体がぽかぽかに温まります。

01/25

大根ときゅうりのおかか漬け

#加熱なし　#簡単レシピ　#ほったらかし

野菜
なし

材料（2～3人分）

- 大根…1/4本
- きゅうり…1本
- A
  - 酢…大さじ2
  - 塩…少々
  - 砂糖…大さじ1
  - しょうゆ…小さじ2
  - 和風だしの素…小さじ1/2
- 削り節…3g

下ごしらえ

大根≫1cm厚さの拍子木切り
きゅうり≫長さを3等分にして、縦に4等分に切る

作り方

① 大根ときゅうりは塩（分量外）をふって揉み、5分置いたら水気を切る。
② ポリ袋にAを入れて混ぜ合わせ、①と削り節を加えて揉み込み、冷蔵庫で30分ほど漬け込む。

Memo
■漬け込む時間はお好みで調整してください。

@macaroni_news　ポリポリ食感がやみつきになる、シンプル副菜。

01/26

豆腐のサイコロステーキ ガーリック風味

#節約レシピ　#ご飯がすすむ　#おつまみ

その他
フライパン

材料（2人分）

- 木綿豆腐…300g
- 玉ねぎ…1/2個
- にんにく…1かけ
- 薄力粉…大さじ1
- A
  - しょうゆ…大さじ3
  - 砂糖…大さじ1
  - 酢…大さじ1
- ごま油…大さじ2

下ごしらえ

木綿豆腐≫キッチンペーパーで包み、重しをのせて水切りする。9等分してから厚さを半分に切る
玉ねぎ≫みじん切り
にんにく≫薄切り

作り方

① 豆腐に薄力粉をまぶす。
② フライパンにごま油を熱し、豆腐を入れて両面に焼き色がつくまで焼く。
③ ②ににんにくを加えて弱火で熱し、香りが出たら玉ねぎとAを加え、水気がなくなるまで煮詰める。

Memo
■豆腐をあらかじめしっかり水切りしてから薄力粉をまぶすと、崩れにくくきれいに焼きあがります。
■レシピは木綿豆腐を使用しましたが、絹豆腐でもおいしく作れます。

@macaroni_news　豆腐が食べ応え満点のステーキに変身！

15min

01/27

塩バター蒸ししゃぶ

#ほったらかし　#簡単レシピ　#ヘルシー

肉　その他

材料（2～3人分）

豚バラ肉（しゃぶしゃぶ用）…200g
もやし…1袋
キャベツ…100g
酒…大さじ3
塩麹…大さじ1
A 鶏ガラスープの素…大さじ1
にんにく（すりおろし）…1かけ分
粗びき黒こしょう…少々
バター（有塩）…40g
ガーリックチップ…10g

下ごしらえ

キャベツ≫ざく切り
バター≫3等分に切る

作り方

① ボウルにAを入れて混ぜ合わせ、豚肉を加えてなじませる。
② ホットプレートにもやし、キャベツ、①の順にのせてふたをして5分蒸し焼きにする。
③ ふたを開けてバター、ガーリックチップをちらし、お好みで青ねぎをのせる。

Memo
■お好みでポン酢をつけても。
■野菜はお好みで白菜に替えたり、きのこ類を足したりするのもおすすめです。

@macaroni_news　野菜がたくさん食べられる、蒸すしゃぶしゃぶです。

20min

01/28

ささみとほうれん草のごまあえ

#レンチン　#作りおき★　#ヘルシー

肉　レンジ

材料（2人分）

鶏ささみ…3本（180g）
ほうれん草…1束
酒…大さじ2
塩…少々
A 白すりごま…大さじ3
砂糖…大さじ2
しょうゆ…大さじ1と1/2

下ごしらえ

鶏ささみ≫筋を取る

作り方

① ほうれん草をラップで包み、電子レンジ600Wで2分加熱する。ラップを外して水にさらし、水気を絞って3cm長さに切る。
② 耐熱容器にささみを入れ、酒、塩をなじませてふんわりとラップをかけ、電子レンジ600Wで2分30秒加熱する。レンジから出したらすぐにラップを外し、粗熱を取る。
③ ボウルに手で細かくほぐした②と①のほうれん草、Aを入れて混ぜ合わせる。

Memo
■ほうれん草は加熱後すぐに冷水にさらしてください。さらしすぎると、ほうれん草に含まれる一部のビタミンも流れ出てしまうので、短時間でサッと引き上げましょう。

@macaroni_news　できたての温かい状態でも、冷やしてもどちらでもおいしいです。

01/29

照り焼き肉巻きかぼちゃ

#作りおき★　#お弁当　#簡単レシピ

肉
フライパン

25min

材料（3～4人分）

豚バラ肉（薄切り）…200g
かぼちゃ…200g
塩・こしょう…各少々
サラダ油…大さじ2
焼肉のたれ…60㎖

下ごしらえ

豚肉≫塩・こしょうをふる
かぼちゃ≫7㎜～1㎝の薄切り

作り方

① 耐熱容器にかぼちゃを入れ、水で濡らしたキッチンペーパーをのせてふんわりとラップをかけ、電子レンジ600Wで5分加熱する。
② ①のかぼちゃに豚肉を巻きつける。
③ フライパンにサラダ油を熱し、②の巻き終わりを下にして入れ、両面を焼く。肉に火が通ったら焼肉のたれを加えて全体に絡める。

Memo

■かぼちゃは加熱しすぎると柔らかくなり、豚バラ肉が巻きにくくなるので、加熱時間は様子を見ながら調整してください。
■焼肉のたれだけで味つけするから失敗知らず。お弁当のおかずにも便利です。

@macaroni_news　カリカリに焼いたら、焼肉のたれで味つけして完成！

01/30

ひとくちみそカツ

#お弁当　#作りおき★　#包丁いらず

肉
フライパン

20min

材料（2～3人分）

豚バラ肉（薄切り）…8枚
塩・黒こしょう…各少々
薄力粉…適量
卵…1個
パン粉…適量
A みそ…大さじ3
　砂糖…大さじ2
　みりん…大さじ2
サラダ油…大さじ4

下ごしらえ

卵≫溶きほぐす

作り方

① 豚肉を広げ塩・黒こしょうをふる。手前から折りたたみ、形をととのえ、薄力粉、卵、パン粉の順に衣をつける。
② フライパンにサラダ油を170℃に熱し、①を入れ、ときどき上下を返しながら、全面がこんがりきつね色になるまで揚げる。
③ フライパンをきれいにしてAを入れて混ぜ、②を戻し入れて絡める。

Memo

■お好みでロールパンに挟んでカツサンドにしたり、ご飯にのせたりしてもおいしいです。

@macaroni_news　豚バラ肉をくるくる巻いて、ミルフィーユかつに。

01/31

鶏ももしょうが焼き

#ご飯がすすむ　#お弁当　#作りおき

肉
フライパン

材料（2人分）

鶏もも肉…1枚（300g）
玉ねぎ…½個
——A——
しょうゆ…大さじ2
酒…大さじ2
みりん…大さじ2
しょうが（すりおろし）…大さじ1
——
砂糖…小さじ1
サラダ油…小さじ1

下ごしらえ

鶏もも肉》一口大に切る
玉ねぎ》7㎜幅に切る

作り方

① ボウルに鶏肉とAを入れて混ぜ合わせたら、ラップを密着させ、15分漬け込む。
② フライパンにサラダ油を熱し、鶏肉を皮目から入れて焼く（ボウルのAは残しておく）。
③ 鶏肉に焼き色がついたら玉ねぎを加えて炒める。
④ 鶏肉に火が通ったら残しておいたAを加えて煮絡める。お好みでキャベツとともに器に盛る。

Memo

■刻みしょうがを加えてもおいしいです。
■焦げやすいので、火加減は調整してください。

@macaroni_news　しょうが焼きといえば豚肉。でも、鶏肉で作ってもおいしいです。

Column 11

おかず作りに役立つ 調理HACKのアイデア Part 2

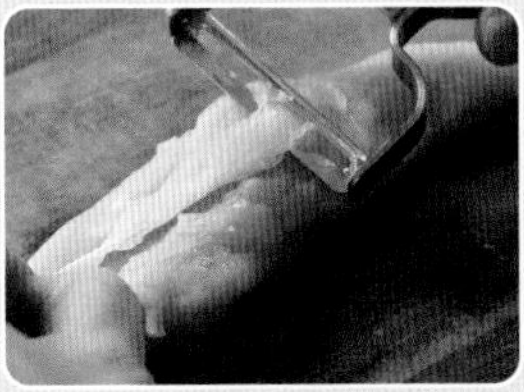

ささみの筋取りはピーラーを使うとラクラク

筋の先端を手で押さえながらピーラーを引っ張ると簡単に筋を取ることができます。

かにかまは割り箸でほぐす

かにかまは1本ずつさくのではなく、まな板に並べて上から箸を転がすといっぺんに簡単にさくことができます。

油揚げが開けないときは箸を転がす

油揚げの中に何かを詰める際、中が開きにくい場合は、菜箸を油揚げの上で転がすと破れずに中が開きやすくなります。

02/01

鮭のちゃんちゃん焼き

#下味冷凍　#作りおき★　#ご飯がすすむ

魚
フライパン

15min

材料（2～3人分）

生鮭…3切れ
玉ねぎ…1/2個（100g）
しめじ…1パック（100g）
塩・黒こしょう…各少々
A ┌みそ・みりん…各大さじ2
　│砂糖…大さじ1
　└酒…大さじ1
キャベツ…100g
バター（無塩）…15g

下ごしらえ

鮭≫3～4等分に切る
玉ねぎ≫1cm幅のくし形切り
しめじ≫ほぐす

作り方

① 鮭は塩・黒こしょうをまぶす。
② 密閉保存袋にAを加えてみそが溶けるように少し揉み込み、鮭、玉ねぎ、しめじを入れ、さらに揉む。
③ 鮭が重ならないように平らにならして空気を抜き、口をとじて半分に折り、バットにのせ冷凍庫で保存する。

Memo

■冷凍で2週間保存できます。
■食べるときは、凍ったままフライパンに入れて火にかけ、水大さじ1を加えてふたをし、10分蒸し焼きにします。ふたを開け、ざく切りにしたキャベツを加えて水分がなくなるまで炒め、バターを加えてサッと絡めます。

@macaroni_news　北海道名物のちゃんちゃん焼きを下味冷凍で！

02/02

せん切り白菜の豚バラ巻き

#レンチン　#ヘルシー　#簡単レシピ

肉
レンジ

15min

材料（2～3人分）

白菜…1/4個
豚バラ肉（薄切り）…200g
塩…適量
黒こしょう…適量
酒…小さじ2
A ┌青ねぎ（小口切り）…10g
　│ポン酢しょうゆ…大さじ3
　│ごま油…大さじ1
　└しょうが（すりおろし）…小さじ1

下ごしらえ

白菜≫せん切り
A≫混ぜ合わせる

作り方

① 豚肉を広げ、塩、黒こしょうをふり、白菜を手前にのせて巻き上げる。
② 残った白菜を耐熱皿に敷き詰め、その上に①を並べ酒をかける。ふんわりとラップをかけて電子レンジ600Wで4分加熱する。
③ ②にAをかける。

Memo

■たれはお好みでごまだれなどにアレンジするのもおすすめです。

@macaroni_news　白菜をせん切りにして、豚肉で巻くだけ！

02/03

枝豆たっぷり焼きがんもどき

#おつまみ　#和風

20min

フライパン　その他

材料（4人分）

木綿豆腐…1丁（400g）
枝豆（さやつき）…100g
にんじん…30g
A
片栗粉…大さじ2
しょうゆ…小さじ1
塩…小さじ1/3
サラダ油…適量
B
水…150ml
めんつゆ（3倍濃縮）…50ml
しょうが（すりおろし）…小さじ1/2
水溶き片栗粉
（片栗粉…小さじ1
水…大さじ2）

下ごしらえ

木綿豆腐≫重しをのせて30分水切りをする
枝豆≫塩ゆでし、さやから外す
にんじん≫せん切り

作り方

① ボウルに木綿豆腐を入れ、泡立て器でなめらかになるまで混ぜる。枝豆、にんじん、Aを加えて混ぜ合わせ、丸く成形する。
② フライパンに1cm深さのサラダ油を入れて熱し、①を入れて片面3分ずつ、きつね色になるまで揚げ焼きにする。
③ 鍋にBを入れて火にかけ、煮立ったら弱火にし、水溶き片栗粉を入れて混ぜ、再び煮立たせてとろみをつける。
④ ②を器に盛りつけて③をかけ、お好みで青ねぎをかける。

Memo

■豆腐はしっかり水切りしてなめらかになるまで混ぜると、ふわふわのがんもどきになります。

@macaroni_news　フライパンで焼いて作ることで、サクふわ食感を楽しめます。

20min

02/04

ゆず白菜

#加熱なし　#作りおき★　#おつまみ

野菜

なし

材料（2～3人分）

白菜…1/4個
ゆず…1個
塩…小さじ1/2
砂糖…小さじ1
和風だしの素…小さじ1
赤とうがらし（輪切り）…少々
塩昆布…5g

下ごしらえ

白菜≫ざく切り
ゆず≫皮をピーラーでむき、せん切りにする。果実は半分に切って果汁を搾る

作り方

① ボウルに白菜と塩を入れ揉み込む。重しをのせ、30分置いて水気を絞る。
② ボウルに①、砂糖、和風だしの素、赤とうがらし、塩昆布、ゆずの皮、種を除いたゆず果汁を加えて混ぜ合わせる。保存容器に入れ、冷蔵庫で2～3時間漬ける。

Memo

■ゆずはピーラーで皮をむくと白い部分を残さずにむけます。
■白菜の水気を絞る際は清潔な手で行うか、手袋をつけてください。

@macaroni_news　白菜にゆずの香りと昆布だしのうまみが染み込んだ一品です。

5 min

02/05

大根のピリ辛漬け

#作りおき　#材料ひとつだけ　#加熱なし

野菜

なし

材料（2～3人分）

大根…1/3本
塩…少々
A
コチュジャン…大さじ2
酢…大さじ1
和風だしの素…小さじ1
砂糖…小さじ1
ごま油…小さじ1
にんにく（すりおろし）…小さじ1/2

下ごしらえ

大根≫1㎝角の拍子木切りにし、塩をふって5分置き、水気を絞る
A≫混ぜ合わせる

作り方

① 保存容器に大根とAを入れて、冷蔵庫で半日～1日ほど漬け込む。

Memo

■辛さを足したい場合は、粉とうがらしを加えるのがおすすめです。

@macaroni_news　コチュジャンでピリ辛に仕上がり、カクテキのような味わいに。

02/06

こってりトリテキ

#節約レシピ　#ご飯がすすむ　#おつまみ

肉　フライパン

材料（2人分）

鶏むね肉…1枚（250g）
にんにく…1かけ
A
酒…大さじ1
片栗粉…大さじ1
砂糖…小さじ1/3
塩…少々
サラダ油…大さじ1
玉ねぎ…1/4個
B
ウスターソース…大さじ1
砂糖…大さじ1/2
しょうゆ…小さじ2
トマトケチャップ…小さじ1
酢…小さじ1

下ごしらえ

鶏むね肉≫厚い部分を切り開いて2等分し、包丁の背で軽くたたく
にんにく≫薄切り
玉ねぎ≫すりおろす

作り方

① 密閉保存袋に鶏肉とAを入れて揉み込み、10分ほど漬け込む。
② フライパンにサラダ油を熱し、にんにくを炒める。表面がきつね色になり、カリッとしたら取り出し、①を入れて焼く。焼き色がついたら裏返し、ふたをして弱火で5分蒸し焼きにする。
③ 余分な油を拭き取り、玉ねぎとBを入れて煮詰める。食べやすい大きさに切り、②のにんにくをちらす。

@macaroni_news　鶏むね肉は下味を揉み込み、しっとりジューシーに仕上げます。

02/07

ちくわウインナーのナポリタン炒め

#お弁当　#おつまみ　#作りおき★

その他　フライパン

材料（2～3人分）

ちくわ…4本
ウインナー…8本
トマトケチャップ…大さじ1
ウスターソース…小さじ1/2
オリーブオイル…大さじ1

下ごしらえ

ちくわ≫長さを半分に切る

作り方

① ちくわの穴にウインナーを詰めたら、長さを半分に切る。
② フライパンにオリーブオイルを熱し、①を入れてこんがり焼き色がつくまで焼く。ケチャップ、ウスターソースを入れて全体に絡める。

Memo
■ちくわは太めのものを使用すると、ウインナーが入れやすいです。

@macaroni_news　ちくわの穴にウインナーを詰めた見た目にもかわいいおかず。

02/08

油揚げで簡単きつねコロッケ

#お弁当　#おつまみ

⏱30min

トースター　野菜

材料（3人分）

油揚げ…4枚
じゃがいも…500g
玉ねぎ…½個
ツナ缶…1缶
オリーブオイル…大さじ½
牛乳…大さじ2
塩・こしょう…各少々

下ごしらえ

油揚げ≫油抜きをして半分に切る
じゃがいも≫一口大に切る
玉ねぎ≫みじん切り
ツナ缶≫水気を切る

作り方

① 耐熱ボウルにじゃがいもを入れてふんわりとラップをかけ、電子レンジ600Wで7分加熱し、マッシャーでなめらかになるまでつぶす。
② 別のボウルに玉ねぎを入れ、オリーブオイルをかけてふんわりとラップをかけ、電子レンジ600Wで1分30秒加熱する。
③ ①に②、ツナ、牛乳、塩・こしょうを加えてよく混ぜる。
④ 油揚げを裏返し、中に③を詰め、とじ目を下にして形をととのえる。
⑤ オーブンシートを敷いた天板に④をのせ、180℃のトースターで10分加熱する。お好みでソースをかける。

Memo

- 中に入れる具材はお好みでアレンジしてみてください。
- トースターの焼き時間は様子をみて調節してください。

@macaroni_news　衣をつけないので手間がかからず、しかもヘルシー！

02/09

ほうれん草とにんじんの韓国のりナムル

#作りおき★　#ご飯がすすむ　#韓国風

野菜　レンジ

10min

材料（3～4人分）

ほうれん草…1束
にんじん…40g
韓国のり…5g
A 白いりごま…大さじ1
A しょうゆ…小さじ2
A ごま油…小さじ2

下ごしらえ

にんじん≫せん切り

作り方

① ほうれん草はラップに包んで電子レンジ600Wで2分加熱し、冷水に取って水気を絞り、4cm長さに切る。ボウルににんじんを入れ、ふんわりとラップをかけて電子レンジ600Wで1分加熱する。

② ボウルにほうれん草、にんじん、A、韓国のりをちぎり入れてよくあえる。

Memo

■ほうれん草は加熱後すばやく冷水に取り、食感を残すようにしてください。

■韓国のりがない場合は、ふつうののりでも代用可能です。味を見ながら調味料の量を調整してください。

@yukirichi119 ご飯にのせて、ビビンバ風にアレンジしてもおいしいです。

02/10

和風あんかけ豆腐

#材料ひとつだけ　#節約レシピ　#ヘルシー

その他　鍋

15min

材料（1～2人分）

絹豆腐…1丁（300g）
A だし汁…150㎖
A （和風だしの素…小さじ1/3
A 水…150㎖）
A しょうゆ…大さじ1
A 酒・みりん…各大さじ1
水溶き片栗粉…小さじ2
（片栗粉…小さじ1
水…小さじ2）

作り方

① 鍋に湯を沸かし、塩ひとつまみ（分量外）を加える。豆腐をスプーンですくい入れ、弱火にして10分ゆでたら、豆腐をザルに取り出し、水切りをする。

② 鍋をきれいにして、Aを入れて煮詰める。火を弱め、水溶き片栗粉を加えて再度加熱し、とろみをつける。

③ 器に①を盛り、②のあんをかけて、お好みでしょうが（すりおろし）と水菜をのせる。

Memo

■豆腐をゆでるときは湯に塩ひとつまみを入れたり、大きめにすくい入れることで崩れにくくなります。また、崩れにくい木綿豆腐を使っても。

■トッピングはお好みでねぎや刻みのり、三つ葉などをのせるのもおすすめです。

@mama11cafe11 ゆでてふるふるになった豆腐に、甘辛あんがぴったりです。

02/11

ピーマンのめんつゆバター煮

#包丁いらず　#レンチン　#材料ひとつだけ

野菜　レンジ

10min

材料（2人分）

ピーマン…4個
A 水…大さじ3
めんつゆ（3倍濃縮）…大さじ2
酒…大さじ1
みりん…大さじ1
バター…10g
削り節…適量

下ごしらえ

ピーマン≫ヘタを親指で中に押し込み、手で4等分にさく。種とワタは取り除く

作り方

① 耐熱容器にピーマンとAを入れて軽く混ぜ、バターをのせる。ふんわりとラップをかけて電子レンジ600Wで5分加熱する。

② 電子レンジから取り出したら、そのまま10分置いて味をなじませ、削り節をのせる。

Memo

■ピーマンは手で豪快にさくと味が絡みやすくなります。
■加熱時間を長くするとクタクタの食感になるので、お好みで調節してください。

@macaroni_news 包丁も、火も使わない超お手軽レシピです。

02/12

ぶりの照り焼き

#下味冷凍　#作りおき　#ご飯がすすむ　#和風

魚　フライパン

5 min

材料（6食分）

ぶり…6切れ
A しょうゆ…大さじ3
酒・みりん…各大さじ3
砂糖…大さじ2
ごま油…大さじ1
長ねぎ…1本

下ごしらえ

ぶり≫水気をしっかり拭き取る

作り方

① 密閉保存袋にぶりとAを入れ、手でやさしく揉む。ぶりが重ならないよう平らにならして空気を抜き、冷凍庫で保存する。

Memo

■冷凍の状態で2週間保存が可能です。
■食べるときは、フライパンにごま油を熱し、3cm長さに切った長ねぎを入れて強火で焼きつけます。凍ったままのぶり2切れを加え、ふたをして弱中火で3分蒸し焼きに。一度ふたをあけて裏返し、再度ふたをして2分蒸し焼きにします。ふたを開けて水分を飛ばしたら完成です。
■ぶりは冷凍のままゆっくりと蒸し焼きにして解凍すると、うまみが逃げずにふっくらと仕上がります。残ったたれは残さず上からかけ、照りが出るまで加熱してください。

@macaroni_news ぶりはじっくり蒸し焼きにして、ふっくらおいしく仕上げます。

02/13

はんぺんのチーズベーコン巻き

#お弁当　#作りおき★　#おつまみ

その他
トースター

15min

材料（2〜3人分）

はんぺん…1枚（100g）
ハーフベーコン…8枚
スライスチーズ…1枚
塩・こしょう…各少々

下ごしらえ

はんぺん≫横半分に切り、それぞれを4等分に切る
スライスチーズ≫横半分に切り、それぞれを4等分に切る

作り方

① はんぺんの上にチーズをのせ、ベーコンを巻きつける。
② アルミホイルを敷いた天板に①を並べ、塩・こしょうをふり、トースターで8〜10分焼く。

Memo
■お好みで大葉を巻いたり、マヨネーズやバター、しょうゆを塗っても。

@macaroni_news　お弁当にあと一品ほしいときにおすすめのおかず。

02/14

じゃがベーコンの煮っころがし

#作りおき　#お弁当　#おつまみ

野菜
鍋

20min

材料（2〜3人分）

じゃがいも（小）…10個（250g）
ベーコン（ブロック）…100g
A 水…20mℓ
A 砂糖…大さじ2
A しょうゆ…大さじ2
A 酒…大さじ1
バター…20g

下ごしらえ

じゃがいも≫皮と皮をこすり合わせるようにして洗い、芽があれば取り除く
ベーコン≫1cm角の棒状に切る

作り方

① 鍋にバターを熱し、ベーコンを炒める。脂が出てきたらじゃがいもを加えて炒め合わせる。
② Aを加えてひと煮立ちさせ、落としぶたをして弱火で15分煮込む。
③ 落としぶたを外して強火にし、鍋を揺らしながら水分を煮詰める。

Memo
■皮が薄く柔らかい新じゃがいもを使うのもおすすめです。
■煮汁はしっかり煮詰めて全体に煮絡めてください。

@macaroni_news　新じゃがいもで作るととってもおいしいです。甘辛味がクセになります。

02/15

鶏もも肉とピーマンの甘辛カレー炒め

#ご飯がすすむ　#作りおき★　#お弁当

肉
フライパン

材料（2～3人分）

鶏もも肉…1枚（250g）
ピーマン…4個
A
カレー粉…小さじ2
片栗粉…小さじ1
塩…少々
黒こしょう…少々
B
しょうゆ…大さじ1と1/2
砂糖…大さじ1
酒…大さじ1
サラダ油…大さじ1
白いりごま…小さじ1

下ごしらえ

鶏もも肉≫大きめの一口大に切る
ピーマン≫乱切り

作り方

① 鶏肉にAを揉み込む。
② フライパンにサラダ油を熱し、鶏肉を皮目から並べ入れ、両面をこんがりと焼く。
③ 鶏肉に火が通ったらピーマンを加えてサッと炒め、全体に油が回ったらBを加え、強火で煮絡める。火を止めて白ごまを加え、混ぜる。

Memo
■トマトケチャップを加えると辛さがやわらぐのでお子さまにもおすすめです。

@macaroni_news　下味にカレー粉を揉み込んで炒め、香ばしく食欲そそる味に。

02/16

なすのとろとろ角煮風

#ご飯がすすむ　#材料ひとつだけ　#簡単レシピ

野菜
鍋

材料（2～3人分）

なす…3本
A
水…50ml
酒…大さじ2
しょうゆ…大さじ1と1/2
砂糖…大さじ1
しょうが（すりおろし）…小さじ1/2
サラダ油…大さじ1

下ごしらえ

なす≫ヘタとガクを取り、ピーラーで縞模様に皮をむき、2cm幅の輪切りにする。水に5分さらし、水気を拭き取る

作り方

① 鍋にサラダ油を熱し、なすを入れて炒める。全体に油が回ったら、Aを入れて混ぜ合わせ、落としぶたをして弱中火で5分ほど煮込む。
② 落としぶたを取り、なすを裏返して再度落としぶたをし、5分ほど煮込む。お好みで青ねぎをちらす。

Memo
■なすを炒める際は、サッと全体に油が回る程度で大丈夫です。
■お好みでからしをつけてもおいしいです。

@macaroni_news　輪切りにしたなすを、とろとろ食感で角煮風の味つけに。

02/17

エビチリ

#基本のレシピ　#ご飯がすすむ　#おつまみ

20min　フライパン　魚

材料（2～3人分）

えび（ブラックタイガー）…12尾（200g）
酒…大さじ1
塩・こしょう…各少々
卵白…大さじ1
片栗粉…大さじ2
サラダ油…大さじ2
〈チリソース〉
長ねぎ…½本（50g）
にんにく…1かけ
しょうが…1かけ
トマトケチャップ…大さじ2
豆板醤…大さじ1
サラダ油…大さじ1
―A―
鶏がらスープ…100mℓ
（鶏がらスープの素…小さじ⅔
水…100mℓ）
酒…大さじ1
砂糖…小さじ1
塩・こしょう…各少々
―――
水溶き片栗粉…大さじ1
（片栗粉…大さじ½
水…大さじ1）

下ごしらえ

えび≫背ワタを取り、殻をむき、片栗粉（分量外）と水を入れて揉み、汚れを洗い流して水気を拭き取る
長ねぎ、にんにく、しょうが≫みじん切り

作り方

① ボウルにえび、酒、塩・こしょうを入れて揉み込み、さらに卵白と片栗粉を加えて揉む。
② フライパンにサラダ油を熱し、①を並べ入れて両面に焼き色をつけ、取り出す。
③ チリソースを作る。②のフライパンにサラダ油を熱し、長ねぎ、にんにく、しょうがを入れ、香りが立つまで弱火で炒める。
④ ケチャップ、豆板醤も加えて軽く炒め、Aを加えてひと煮立ちさせたら、②のえびを戻し入れ1分炒める。弱火にして水溶き片栗粉を回し入れ、とろみをつける。お好みで白髪ねぎをのせる。

@macaroni_news　中華の定番エビチリの基本の作り方です。

02/18

ほうれん草とじゃがいものガリバタソテー

#おつまみ　#洋風　#お弁当

15min

野菜　フライパン

材料（2人分）

ほうれん草…½束
じゃがいも…2～3個（300g）
ベーコン（ブロック）…50g
にんにく（みじん切り）…1かけ分
しょうゆ…大さじ½
バター（有塩）…20g

下ごしらえ

ほうれん草≫4㎝長さに切る
じゃがいも≫一口大に切り、サッと水にさらし、水気を切る
ベーコン≫1㎝角の棒状に切る

作り方

①ボウルにじゃがいもを入れ、ふんわりとラップをかけて電子レンジ600Wで3分加熱する。
②フライパンにバターを熱し、にんにく、ベーコンを炒める。油が回ったらじゃがいもを加えて、表面に軽く焼き色がつくまで炒める。
③ほうれん草を加え、しんなりするまで炒めたら、しょうゆを回し入れ、サッと炒める。お好みで粗びき黒こしょうをふる。

Memo
■にんにくは焦げやすいので、焦げないよう火加減に注意してください。

@macaroni_news　にんにくとバターの香りが、洋食の副菜にぴったりです。

02/19

基本のとり天

#基本のレシピ　#お弁当　#おつまみ

20min

肉　フライパン

材料（2～3人分）

鶏むね肉…1枚（200g）
A 酒…大さじ1
A しょうゆ…小さじ1
A しょうが（すりおろし）…小さじ1
A 塩…少々
卵…1個
冷水…60㎖
薄力粉…大さじ4
片栗粉…大さじ4
揚げ油…適量

下ごしらえ

鶏むね肉≫一口大のそぎ切り

作り方

①ボウルに鶏肉とAを入れて揉み込み、10分ほど置いて味をなじませる。
②ボウルに卵、冷水を入れて混ぜ、薄力粉、片栗粉を加えてさっくりと混ぜ合わせる。
③②に①をくぐらせ、180℃の揚げ油で4～5分ほど揚げる。お好みでからしじょうゆを添える。

Memo
■衣に片栗粉を入れることでよりサクサクした食感になります。
■鶏もも肉でもおいしく作れます。

@macaroni_news　大分県の名物とり天をしっとり柔らかく仕上げます。

02/20

大根のめんつゆポン酢漬け

#作りおき★　#加熱なし　#ほったらかし

野菜

なし

10min

材料（3人分）

大根…350g
塩…ひとつまみ
削り節…大さじ2
A
水…大さじ4
ポン酢しょうゆ…大さじ3
めんつゆ（3倍濃縮）…大さじ2

下ごしらえ

大根≫イチョウ切り
A≫混ぜ合わせる

作り方

① ボウルに大根と塩を入れて揉み込み、5分ほど置いて水気を取る。
② 保存容器に、削り節、①の順に入れる。
③ ②にAを注ぎ入れ、冷蔵庫でひと晩漬ける。

Memo

■大根は塩揉みして余分な水分を取ることで、味がなじみやすくなります。

@macaroni_news　少ない材料で作れて、箸休めにもぴったり。

02/21

せん切りキャベツで豚しゃぶ

#ヘルシー　#簡単レシピ

肉

鍋

10min

材料（2〜3人分）

豚バラ肉（しゃぶしゃぶ用）…200g
キャベツ…300g
水…650㎖
白だし（10倍濃縮）…80㎖
ポン酢しょうゆ…大さじ4

下ごしらえ

キャベツ≫せん切り

作り方

① 鍋に水と白だしを入れて沸かす。
② キャベツを加えてサッと火を通したら、豚肉を加えて火を通す。
③ 豚肉でキャベツを巻き、ポン酢をつけて食べる。

Memo

■キャベツはカットしてあるものを使用しても。

@macaroni_news　せん切りキャベツと豚バラ肉を白だしつゆでしゃぶしゃぶに！

02/22

お手軽キッシュ

#おもてなし　#洋風

40min

卵焼き器　野菜

材料（2～3人分）

冷凍パイシート…1枚
ベーコン（ブロック）…50g
ほうれん草…40g
玉ねぎ…30g
しめじ…20g
塩・黒こしょう…各少々
バター（有塩）…10g
〈卵液〉
卵…2個
牛乳…50mℓ
粉チーズ…大さじ1/2
塩・黒こしょう…各少々

下ごしらえ

冷凍パイシート≫解凍する
ベーコン≫1cm角の棒状に切る
ほうれん草≫根元を切り落とし、3cm長さに切る
玉ねぎ≫繊維に沿って薄切り
しめじ≫ほぐす

作り方

①卵液を作る。ボウルに卵を割り入れて溶きほぐし、牛乳、粉チーズ、塩・黒こしょうを加えて混ぜ合わせる。
②冷凍パイシートを卵焼き器よりひと回り大きくなるようにのばし、フォークで穴を開ける。
③卵焼き器にバターを熱し、ベーコン、玉ねぎを入れて炒める。玉ねぎが透明になったらほうれん草、しめじを加えて塩、黒こしょうをふって炒め、取り出す。
④卵焼き器をきれいにしたらパイシートを敷き、③を入れ、①を流し入れる。
⑤アルミホイルでふたをし、弱火で30分加熱し、中まで火を通す。取り出してお好みの大きさに切る。

Memo
■パイシートが焦げないよう、様子を見ながら弱火で加熱してください。

@macaroni_news オーブンやトースターなしで作れるお手軽キッシュです。

02/23

キャベツたっぷり豆腐お好み焼き

#ヘルシー　#おつまみ　#レンチン

材料（2人分）

木綿豆腐…300g
キャベツ…150g
青ねぎ（小口切り）…15g
卵…2個
天かす…10g
紅しょうが…15g
和風だしの素…小さじ1
〈トッピング〉
お好み焼きソース…適量
マヨネーズ…適量
青のり…適量
かつおぶし…適量

下ごしらえ

キャベツ»せん切り

作り方

① ボウルに豆腐を入れ、なめらかになるまで混ぜる。
② ①に卵、和風だしの素を加えてよく混ぜ、キャベツ、青ねぎ、天かす、紅しょうがを加えて混ぜ合わせる。
③ 耐熱皿にラップを敷き、②を半量のせ丸く形をととのえる。ふんわりとラップをかけて電子レンジ600Wで7〜8分加熱する。器に盛り、トッピングする。

Memo
■木綿豆腐は絹豆腐でも代用できます。

その他　レンジ

@macaroni_news　火を使わず、レンチンで作れるヘルシーなお好み焼き。

02/24

ピーマンと厚揚げの甘辛炒め

#包丁いらず　#作りおき★　#スピード副菜

材料（2〜3人分）

ピーマン…3個
厚揚げ…1枚（200g）
A しょうゆ…大さじ2
A 砂糖…大さじ1と½
A 白いりごま…大さじ1
A 和風だしの素…小さじ1
ごま油…大さじ1

下ごしらえ

ピーマン»一口大にちぎる

作り方

① フライパンにごま油を熱し、厚揚げをちぎりながら入れて焼く。
② 厚揚げに焼き色がついたらピーマンを入れ、2分炒める。
③ Aを加え、水分がなくなるまで炒める。

Memo
■ピーマン、厚揚げはちぎり入れると味がなじみやすくなります。
■大きさを揃えると均一に火が通りやすくなります。

野菜　フライパン

@macaroni_news　ちぎるだけだから、包丁いらずのボリュームおかずです。

02/25

大豆とじゃこ甘辛炒め

#作りおき★　#お弁当　#おやつにも

その他　フライパン

材料（2～4人分）

大豆（水煮）…200g
ちりめんじゃこ…30g
片栗粉…大さじ1
砂糖…大さじ1と1/2
しょうゆ…大さじ1と1/2
サラダ油…大さじ3

下ごしらえ

大豆≫水気を拭き取る

作り方

① ボウルに大豆、ちりめんじゃこ、片栗粉を入れて混ぜ合わせる。
② フライパンにサラダ油を強火で熱し、①を炒める。
③ きつね色になってきたら、余分な油を拭き取り、砂糖としょうゆを加え、焦げつかないように炒める。

Memo
■大豆はきつね色になるまでしっかり炒めて水分を飛ばすのがポイントです。

@macaroni_news　懐かしの学校給食でよく出ていた味をおうちでも！

02/26

ほうれん草と桜えびの塩ナムル

#作りおき★　#お弁当　#簡単レシピ

野菜　鍋

材料（2～3人分）

ほうれん草…1束（200g）
桜えび…5g
ごま油…大さじ1と1/2
にんにく（すりおろし）…小さじ1/2
塩…小さじ1/3
白いりごま…大さじ1

下ごしらえ

ほうれん草≫根元を切り落とす

作り方

① 鍋にたっぷりの湯を沸かし、塩少々（分量外）を入れ、ほうれん草を1分ほどゆでる。ザルに上げてしっかり水気を絞り、3cm長さに切る。
② ボウルにごま油、にんにく、塩を入れてよく混ぜ、①のほうれん草、桜えび、白ごまを加えてサッと混ぜ合わせる。

Memo
■桜えびは乾煎りするとさらに香ばしくなるのでおすすめです。

@macaroni_news　いつものナムルに桜えびをプラスして香ばしく。

02/27

ポテトサラダ

#レンチン　#おつまみ

野菜　レンジ

材料（2～3人分）

じゃがいも…200g
きゅうり…1/4本
玉ねぎ…40g
ハム（薄切り）…2枚
塩・こしょう…各少々
A マヨネーズ…大さじ2
A 粒マスタード…小さじ1
A 砂糖…小さじ1/2

下ごしらえ

じゃがいも≫芽があれば取り除き、皮ごと8等分に切り、水にさらす
きゅうり≫小口切り
玉ねぎ≫薄切りにして水にさらし、水気を切る
ハム≫1cm幅の短冊切り

作り方

① 耐熱ボウルに水気を切ったじゃがいもを入れ、ふんわりとラップをかけて電子レンジ600Wで5分加熱する。
② 温かいうちにフォークで軽くつぶし、塩・こしょうを加えて混ぜ合わせ、粗熱を取る。
③ きゅうり、玉ねぎ、ハム、Aを加えて混ぜ合わせる。

Memo
■マヨネーズは分離を防ぐため、じゃがいもの粗熱が取れてから加えてください。40℃程度がなじみやすい温度です。

@macaroni_news 新じゃがいも、新玉ねぎを使って作ってみて。

02/28

サバじゃがのみそホイル焼き

#おつまみ　#簡単レシピ

魚　トースター

材料（2人分）

サバみそ煮缶…1缶（190g）
じゃがいも…2個（300g）
ミニトマト…4個（80g）
ピザ用チーズ…40g

下ごしらえ

サバみそ煮缶≫身と汁に分ける
じゃがいも≫皮をよく洗い、芽を取る
ミニトマト≫2等分に切る

作り方

① じゃがいもは水気がついたままラップで包み、電子レンジ600Wで3分加熱する。粗熱を取り、一口大に切る。
② アルミホイルを2枚重ねて広げ、半量ずつのじゃがいも、サバ缶の身、ミニトマトを並べ、缶の汁大さじ1、ピザ用チーズをかけ、アルミホイルをとじて包む。
③ ②をトースターで10分ほど焼き、お好みで青ねぎをかける。

Memo
■じゃがいもは竹串がスッと通るのを目安に加熱時間を調節してください。

@macaroni_news サバ缶を汁ごと使うので、味つけいらずで作れます！

食材別インデックス

野菜・果物・加工品

ミニトマト

トマト缶

長いも

長ねぎ

なす

ニラ

にんじん

白菜

パプリカ

ピーマン

Epilogue

365日のベストおかず、いかがでしたか？
あなただけのベストおかずは
見つかりましたか？

5000以上のレシピの中から選ばれた
人気のあるとっておきレシピたちは
どんな食卓にも
きっと寄り添ってくれるはずです。

毎日の食卓をちょっとうれしく、おいしく。
あなたのこれからのおうちごはんで
「おいしい」と「笑顔」が
もっと増えていきますように。

macaroni［マカロニ］

「食からはじまる、笑顔のある暮らし。」がテーマのライフスタイルメディア。
月間訪問者数は約2,000万人。
献立作りに役立つ料理レシピ動画、注目のテーブルウェアや
キッチングッズ情報、人気インスタグラマーのコラムなど、
食と暮らしに役立つ情報を毎日お届けしている。
また、*9,000人以上が登録しているインスタグラマーコミュニティ「マカロニメイト」や、
調理器具や食品など、全国各地からこだわりのアイテムを集めた
オンラインストア「マカロニ商店」を運営。
*2023年2月現在

デザイン
大橋千恵（Yoshi-des.）

編集協力
須川奈津江

DTP
山本秀一、山本深雪（G-clef）

校正
文字工房燦光

365日《にち》のベストおかず
5000以上《いじょう》のレシピから選《えら》んだとっておき

2023年3月25日　初版発行

著者／macaroni《マカロニ》
発行者／山下　直久
発行／株式会社KADOKAWA
〒102-8177　東京都千代田区富士見2-13-3
電話 0570-002-301(ナビダイヤル)
印刷所／図書印刷株式会社

●お問い合わせ
https://www.kadokawa.co.jp/（「お問い合わせ」へお進みください）
※内容によっては、お答えできない場合があります。
※サポートは日本国内のみとさせていただきます。
※Japanese text only

定価はカバーに表示してあります。

ISBN 978-4-04-606149-2 C0077